LES SECRETS DU STYLE

ROGERS

À PROPOS DE CE LIVRE

Rédactrice en chef
Julia Cyboran
Gestionnaire de la rédaction
Marika Lapointe
Directrice artistique
Isabelle Salmon (Numéro 7)
Gestionnaire de production
Geneviève Colmer

Photo de la page couverture: Geneviève Charbonneau
Mannequin: Nicolette (Elmer Olsen Models)

Les Éditions Rogers limitée
1200, avenue McGill College, bureau 800
Montréal (Québec) H3B 4G7
Téléphone: 514 845-5141
leseditionsrogers.ca

Éditrice
Marie-José Desmarais
Gestionnaire des affaires
Marie-Claude Caron
Gestionnaire, division livres
Louis Audet

LES SECRETS DU STYLE:
PAR LES EXPERTS MODE DE LOULOU
ISBN 978-0-88896-669-8
Dépôt légal: 3e trimestre 2013
Bibliothèque et Archives nationales du Québec, 2013
Bibliothèque et Archives Canada, 2013

Imprimé en septembre 2013, au Québec

Diffusion: Messageries de Presse Benjamin inc.
Impression: Imprimerie Transcontinental Interglobe, Beauceville, Canada

LES SECRETS DU STYLE

PAR LES EXPERTS MODE DE LOU LOU

SOMMAIRE

PRÉFACE

POURQUOI LE STYLE, C'EST IMPORTANT (ET COMMENT EN AVOIR!)

En tant que rédactrice en chef d'un magazine de shopping et de tendances, je vois passer des tonnes de pièces irrésistibles. Un défilé incessant de fringues, de chaussures, de sacs à main, d'accessoires… Bref, c'est aussi excitant que potentiellement nuisible pour mon compte en banque. (J'excelle malheureusement à me trouver un million de raisons – lire: excuses – pour m'acheter ceci ou cela.)

Par chance, j'ai un peu de retenue. J'ai aussi cette petite voix qui me dit, au fin fond de mon esprit: «Julia, tu as ton propre style! Ne succombe pas à n'importe quelle tentation juste parce que faire du shopping, ça fait un bien fou!»

Alors, rassurez-vous, je ne fais pas «tout sélectionner», puis «supprimer» dans ma garde-robe deux fois par année. Vraiment, qui peut se ruer en boutique au début de chaque saison avec un budget illimité et tout son temps pour garnir son *walk-in* de A à Z? Pas plus moi que la plupart d'entre vous – même si j'en rêve parfois (du *walk-in*). Je sélectionne plutôt quelques pièces qui retiennent mon attention et je pèse soigneusement le pour et le contre avant d'acheter.

Reste que c'est ma job de trancher entre ce qui se fait et ne se fait pas côté style. Je sais ce que j'aime, je connais ma silhouette et je magasine en ne perdant jamais de vue ces deux points. De plus, j'ai des collègues (voire des top maîtres de la mode) vers qui me tourner en cas de «vous êtes sûûûûres que cette robe n'est pas faite pour moi?»

Presque chaque jour, je reçois des courriels de lectrices qui me demandent comment savoir ce qu'il faut acheter et ce qui leur convient. Eh bien, ce livre fournit la réponse. Prenez-le comme votre styliste perso, qui vous aidera à prendre les bonnes décisions lorsque vous serez en quête de la parfaite nouveauté.

Notre équipe d'experts a mis toutes ses ressources en commun pour vous transmettre un savoir capital: comment définir votre look et comprendre ce qui avantage votre silhouette, comment choisir les pièces clés pour avoir une garde-robe qui rocke, comment sélectionner vos accessoires comme une styliste et comment vous habiller en toute occasion. (Et oui, on élaborera même sur ce mystère qu'est la «tenue corpo chic».)

Ce livre a été conçu pour vous. C'est votre outil pour peaufiner votre style perso et apprendre à vous looker comme une pro.

Bon shopping!

Julia, rédactrice en chef

À PROPOS DE LOULOU

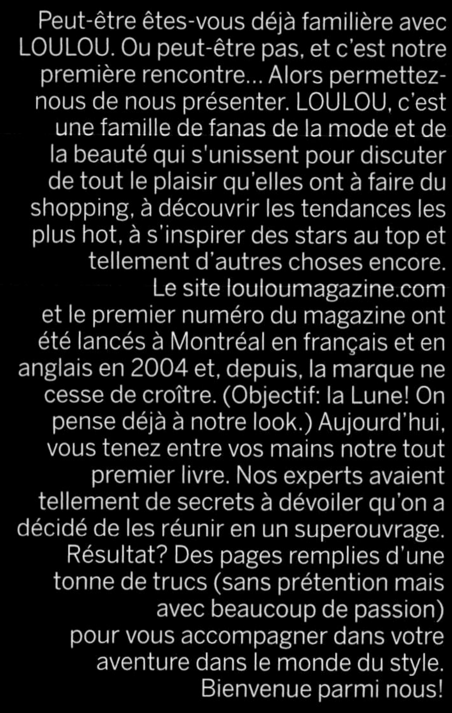

Peut-être êtes-vous déjà familière avec LOULOU. Ou peut-être pas, et c'est notre première rencontre... Alors permettez-nous de nous présenter. LOULOU, c'est une famille de fanas de la mode et de la beauté qui s'unissent pour discuter de tout le plaisir qu'elles ont à faire du shopping, à découvrir les tendances les plus hot, à s'inspirer des stars au top et tellement d'autres choses encore. Le site louloumagazine.com et le premier numéro du magazine ont été lancés à Montréal en français et en anglais en 2004 et, depuis, la marque ne cesse de croître. (Objectif: la Lune! On pense déjà à notre look.) Aujourd'hui, vous tenez entre vos mains notre tout premier livre. Nos experts avaient tellement de secrets à dévoiler qu'on a décidé de les réunir en un superouvrage. Résultat? Des pages remplies d'une tonne de trucs (sans prétention mais avec beaucoup de passion) pour vous accompagner dans votre aventure dans le monde du style. Bienvenue parmi nous!

P.-S. – On vous donne le droit de passer nos secrets à la suivante!

JULIA CYBORAN
RÉDACTRICE EN CHEF

BAPTÊME MODE:
À 4 ans, je déballais mes cadeaux et j'étais plus excitée par les vêtements que par les jouets. Et puis, il fallait bien que je les défile à ma famille! (Je n'ai jamais arrêté de le faire!)

DESIGNERS PRÉFÉRÉS:
Isabel Marant, pour l'aspect désinvolte de ses créations. **Helmut Lang**, pour la simplicité et la longévité de ses pièces. **Karl Lagerfeld**, pour tout le plaisir qu'il a avec la mode.

Tournez la page pour découvrir cette belle équipe des pros mode de LOULOU et pour en apprendre un peu plus sur ce qui les allume.

LES PROS DE LOULOU

Rencontrez nos véritables maîtres du style: Claude Laframboise, Michèle Mayrand, Carolyne Brown et Rosalie Granger. Armés de leur flair mode époustouflant et de leur bon goût épatant, ils ponctueront les prochaines pages de ce livre de conseils et soulèveront les bonnes questions (réponses comprises bien sûr), tout en exposant leur opinion mode avec la bonne humeur qu'on leur connaît.

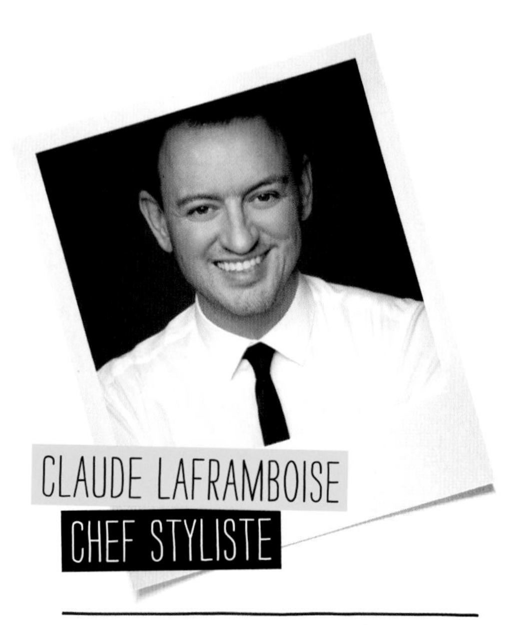

CLAUDE LAFRAMBOISE
CHEF STYLISTE

CRITIQUE MODE CERTIFIÉ ET DÉFENSEUR DU BEAU ET DU BON

PRO DE LA MODE DEPUIS 20 ANS

SON BAPTÊME MODE:
Mon premier nœud papillon à huit ans: une obsession.

LA PIRE ERREUR DE STYLE:
Un manque de finition (des talons usés, un sac brisé, un haut froissé) peut détruire un look.

SON MANTRA MODE:
Le *fit*, c'est chic. L'arme secrète de toutes les filles au look d'enfer? Les retouches. Un vêtement trop serré ou trop ample n'est jamais flatteur.

LE STYLE PERSO, C'EST QUOI?
La façon dont vous décidez de vous présenter aux autres en dit beaucoup sur vous et sur qui vous voulez être. Votre look est une façon des plus efficaces de communiquer.

MICHÈLE MAYRAND
DIRECTRICE MODE

VÉRITABLE LEXIQUE MODE AMBULANT, PRO DES DÉFILÉS ET ENTHOUSIASTE DE L'ORIGINALITÉ

PRO DE LA MODE DEPUIS 27 ANS

SON BAPTÊME MODE:
Le jour où j'ai acheté mon premier *Biggest Fashion Issue Ever* de *Vogue*, en septembre 1981, avec Brooke Shields en couverture, photographiée par Richard Avedon.

LA PIRE ERREUR DE STYLE:
Croire fermement que porter du noir est l'unique solution pour des occasions chics.

SON TOP FLASH-BACK FASHION:
L'ère top-modèle du début des années 90, quand les mannequins sont devenues aussi populaires que les stars du showbiz. Les filles étaient alors d'une beauté hallucinante. Je pense qu'elles ont contribué à faire monter en flèche l'intérêt du grand public pour la mode.

LE STYLE PERSO, C'EST QUOI?
Pour moi, c'est une extension de ma créativité. Je peux m'exprimer avec plein de détails: un mix de couleurs, un agencement de bijoux... C'est le premier mini-*brainstorming* que je fais en me levant.

CAROLYNE BROWN

STYLISTE

MEILLEURE PARTENAIRE SHOPPING, FANA DES ACCESSOIRES ET DÉNICHEUSE DE TENDANCES

PRO DE LA MODE DEPUIS 10 ANS

SON BAPTÊME MODE:
Enfant, je jouais déjà à la styliste en faisant des kits à mes 20 poupées Barbie. Une fois leur transfo terminée, je recommençais.

LA PIRE ERREUR DE STYLE:
Porter un haut court avec un legging. Ce n'est pas un pantalon!

SON TOP FLASH-BACK FASHION:
En 1995, dans le film *Clueless*, quand Cher (Alicia Silverstone) descend le long de l'escalier vêtue d'une simple robe blanche Calvin Klein.

SON MANTRA MODE:
Le néon rend heureux!

SES DESIGNERS PRÉFÉRÉS:
Emilio Pucci
Matthew Williamson
Mara Hoffman

ROSALIE GRANGER

RESPONSABLE MODE WEB

MILITANTE DE L'AUDACE, MACHINE MODE POUR VOYAGER DANS LE TEMPS ET ABONNÉE AU *STREET STYLE*

PRO DE LA MODE DEPUIS 10 ANS

SON BAPTÊME MODE:
Déjà, à l'âge de quatre ans, j'insistais pour m'habiller seule et me faire des looks thématiques. Aussi, au primaire, je feuilletais tous les magazines de ma mère avec beaucoup de curiosité et j'y prenais des images pour les coller aux murs de ma chambre.

LA PIRE ERREUR DE STYLE:
Une mauvaise taille de pantalon ne pardonne pas. On évite les poignées d'amour comme les fonds de culotte qui pendent.

SON TOP FLASH-BACK FASHION:
La première fois que j'ai assisté à la semaine de mode de New York. C'était aussi la dernière année où l'événement se déroulait à Bryant Park.

SON MANTRA MODE:
Vivre et laisser vivre. Quand je vois tous ces gens qui se prennent pour la police du style... Le plus beau, c'est d'essayer, de se tromper et de s'améliorer, mais surtout de s'amuser.

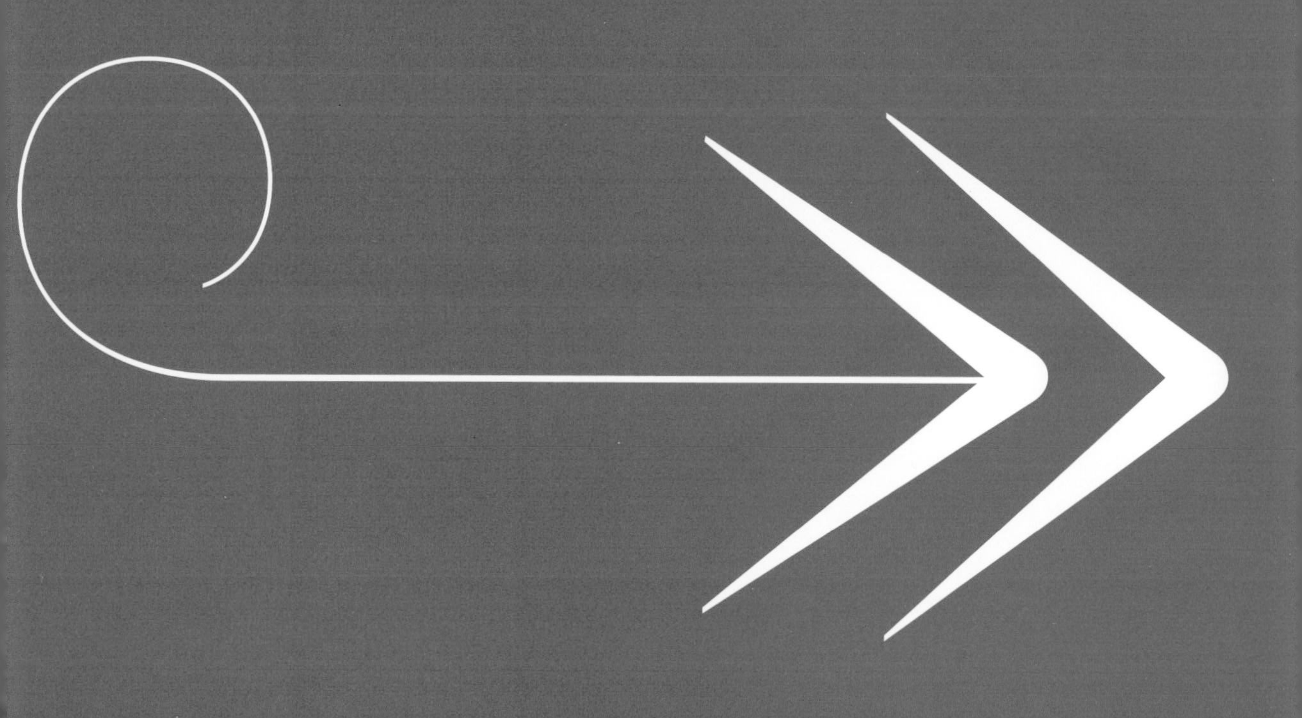

1

ÇA VEUT DIRE QUOI, AVOIR DU STYLE?

«Votre style perso, c'est exprimer vos passions par vos choix mode. C'est ce qui vous allume, ce qui vous inspire, ce qui fait que vous vous sentez belle et bien. Et c'est surtout ce que vous choisissez de porter pour l'exprimer.»

JULIA
RÉDACTRICE
EN CHEF

Dans ce chapitre

INSPIREZ-VOUS DE PLUSIEURS SOURCES: DE L'ART, DE LA RUE, DES CÉLÉBRITÉS

DÉCIDEZ DU MESSAGE QUE VOUS VOULEZ PASSER GRÂCE À VOTRE LOOK

PRENEZ DES LEÇONS DES ICÔNES DE LA MODE D'HIER ET D'AUJOURD'HUI

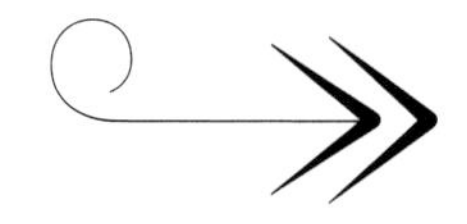

LAISSEZ-VOUS INSPIRER!

Il n'y a pas que les passerelles qui peuvent influer sur votre style. Du tapis rouge aux trottoirs, piochez ici et là pour créer votre propre *mood board*.

cinéma

De la reprise de films d'époque comme *Gatsby le Magnifique* à des ambiances plus contemporaines – pensez à *Le diable s'habille en Prada* –, le grand écran regorge d'idées mode. Et comme les grands costumiers qui renforcent le caractère d'un rôle par leurs choix de vêtements, définissez ou raffinez votre style pour décrocher le Jutra du meilleur look.

stars

Elles ont les robes les plus chics à portée de main et une armée de stylistes à leurs pieds. Résultat: leurs silhouettes font rêver. Le bon exercice de stylisme? Copiez-collez les tenues d'une vedette dont vous admirez l'allure et la morphologie.

mode de la rue

Avec la multiplication des blogueuses et des photographes de mode de la rue, les looks des fashionistas de Paris, Stockholm et Tokyo sont accessibles en un clic. Parcourez le Web à la recherche des *it girls* du jour et observez la façon dont elles s'approprient les tendances. Le plus: c'est beaucoup plus facile de piquer le look d'une «vraie» fille...

art

Qu'on parle de musique, de cinéma ou de design, de tout temps, le monde de l'art a influencé celui de la mode. Que ce soit les jeans qui prennent leurs aises sous l'impulsion du hip-hop, ou les graffitis des années 80 qui reviennent en version imprimée sur un t-shirt, les grands courants artistiques laissent toujours leurs empreintes dans nos garde-robes.

CLAUDE
CHEF
STYLISTE

DÉCLARATIONS MODE

«Choisissez la phrase qui décrit le mieux votre look perso, puis tournez la page pour découvrir quelles stars incarnent votre vision de la mode.»

PEACE AND LOVE, C'EST MON MANTRA

Nostalgique de la *vibe* relax des années 60 et 70 et de son esthétique plutôt nature? Même si votre chum n'est pas musicien et que vous ne conduisez pas de Westphalia, vous pouvez vous affirmer **BOHO**. Pas besoin d'être nomade ou artiste pour en avoir l'air, et même la chanson.

TOUT ÉTAIT MIEUX AVANT

L'élégance, selon vous, ce sont les allées des grands bureaux remplies de femmes en jupes crayon et en escarpins. Votre amour du **RÉTRO** présente un avantage: les look féminissimes – lèvres rouges comprises – sont toujours à la page.

JE HAIS LES FROUFROUS ET JE LAISSE LE ROSE AUX FILLETTES

C'est clair que le vestiaire à la **GARÇONNE** vous plaît. Le bon côté? Ce style vous facilite la vie: c'est pratique, facile à porter et intemporel. Votre défi? Conjuguer au féminin votre look d'inspiration masculine.

J'ADORE MÉLANGER, SECOUER LES IDÉES

La mode est un moyen d'expression et vous avez beaucoup de choses à dire. Votre look est le reflet de votre personnalité: originale et unique. Ça vous parle? Il y a de fortes chances que vous soyez **ÉCLECTIQUE**.

LES JUPES TROP COURTES ET LES TALONS TROP HAUTS, ÇA N'EXISTE PAS

Minirobes moulantes et crinières top volume vous allument? Ne passez pas «Go»! Laissez votre amour du va-va-voum vous conduire à la case **SEXY**. Oui, ce style est indémodable. Et oui, il y a moyen de montrer de la peau sans la jouer trash.

MOINS, CE N'EST PAS JUSTE BIEN. C'EST MIEUX

Vous ne jurez que par les lignes épurées et les teintes neutres. Vous ne seriez pas **MINIMALISTE**, par hasard? Pas ennuyeux pour un sou, ce look exige un œil affuté pour les vêtements bien coupés et une allergie sévère aux froufrous.

LE NOIR ET LE CUIR, C'EST MON TOP DUO

Belle et rebelle ou dure à cuire, une chose est sûre: vous avez l'âme d'une **ROCKEUSE**. Jeans, t-shirts et vestes de cuir sont la base de votre garde-robe. Ce style, tout comme la musique dont il s'inspire, transcende les époques.

LES VALEURS SÛRES, Y'A QUE ÇA DE VRAI

Rien n'est plus raffiné et de bon goût que la mode qui ne passe pas de mode. Si vous avez un penchant pour les coupes traditionnelles, vous faites partie du club sélect des **CLASSIQUES**. Non seulement votre look est synonyme d'élégance, mais tous vos achats mode sont futés.

BOHO

La boho chic et la hippie urbaine appartiennent au même mouvement stylistique bohémien qui puise ses origines chez les Tziganes, les Espagnols et les Indiens. Ces looks qui fleurent bon l'idée d'une vie au jour le jour ont fait planer les hippies des années 60, qui les ont volontiers intégrés à leurs tenues *peace and love* californiennes. Et l'allure boho fait encore triper les esprits libres d'aujourd'hui.

L'experte
ISABEL LUCAS

Plus artsy-grano qu'aristo-boho? Faites de Frida Kahlo et de Janis Joplin vos gourous mode.

L'icône

* TALITHA GETTY

Mannequin et starlette, elle épouse en 1966 (en minijupe blanche) John Paul Getty, héritier d'un empire pétrolier. Les *rock stars* se mettent alors à fréquenter le Pleasure Palace, résidence du couple à Marrakech réputée pour ses soirées décadentes et psychédéliques. Cinq ans plus tard, à 30 ans, elle meurt d'une overdose d'héroïne. YSL et Diane von Furstenberg rendront hommage à son allure souk couture glamourissime.

Les adeptes

FLORENCE WELCH ET RACHEL ZOE

LES ESSENTIELS DE LA GARDE-ROBE

- Tunique en lin à encolure ornementée (très Talitha)
- Djellaba
- Sari et blouse indienne
- Cafetan
- Poncho
- Étole ou veste poilue
- Robe maxi et jupe champêtre
- Macramé et crochet
- Jean à pattes d'ef (usé ou pas)
- Lunettes de soleil rondes
- ou en forme de cœur

RÉTRO

Vivienne Westwood l'a dit: «Regarder en arrière est le seul moyen de créer le futur.» En effet, presque chaque année, la planète mode fait sa crise de rétromanie: depuis l'impératrice Joséphine, la femme de Napoléon, accro aux drapés façon déesse grecque, jusqu'aux poupées Mattel habillées à la *Mad Men*, en passant par le look Cléopâtre de Liz Taylor dans les sixties. Bref, le rétro, c'est toujours nouveau.

Une silhouette profilée, une tenue qui semble avoir été pensée pour une émission télé en noir et blanc, un éclair de rouge... C'est tout bon, Scarlett!

L'icône

* RITA HAYWORTH

Dès ses débuts, la beauté rousse captive les habitués des salles obscures. Son secret? Un mélange unique de beauté classique et de fougue. Elle joue aux côtés des plus grands de l'époque (Cary Grant, Gene Kelly, James Cagney, Fred Astaire...) et devient une véritable sirène hollywoodienne. Les essentiels de la garde-robe de cette rouquine sont les robes bustier et les gants de soirée, mais aussi les jupes courtes et les talons haut perchés pour aller danser. À ce jour, elle n'a pas cessé d'inspirer actrices et fashionistas du monde entier.

LA CEINTURE RUBAN, UN TOP ACCESSOIRE RÉTRO

Les adeptes

AMBER HEARD ET KATY PERRY

LES ESSENTIELS DE LA GARDE-ROBE

- Robe fourreau
- Jupe crayon
- Jupe circulaire
- Crinoline
- Twin-set
- Escarpins classiques
- Plateformes à bout ouvert
- Pantalon cigarette
- Bas nylon à couture
- Boucles d'oreilles à clips en forme de fleur ou de feuille
- Gants de soirée
- Broche en forme d'insecte
- Bague cocktail

GARÇONNE

Le style à la garçonne (cheveux courts au carré et silhouette filiforme) pointe le bout de son nez pendant les années folles. Depuis, les filles s'amusent à piquer des pièces dans la garde-robe des gars et les ajustent à leurs formes. Le défi? Avoir l'air incontestablement femme alors qu'on joue avec des codes mode très mecs. Bref, réussir le look *tomboy*, c'est savoir accorder avec élégance le masculin au féminin.

L'icône

* MARLENE DIETRICH

Actrice et chanteuse de cabaret d'origine allemande, Marlene a une voix divine et grave. Elle réalise un tour de force absolu en imposant son style à la planète mode des années 30: elle s'affiche en pantalon, cravate et haut-de-forme, cigarette fumante au bec. Son truc séduction? Contraster avec une mise en beauté ultra-glamour. Et ça marche! Elle devient l'icône du masculin-féminin hollywoodien, un mystère, une légende.

Les adeptes

CLÉMENCE POÉSY ET LOU DOILLON

LES ESSENTIELS DE LA GARDE-ROBE

- Complet trois pièces
- Veste smoking
- Gilet
- Marinière
- Camisole en tricot
- Chemisier à manches roulées
- Pantalon large à pinces
- Montre-bracelet en métal extensible
- Chaussures richelieux
- *Fedora*
- Sac messager
- Cravate
- Lavallière

ÉCLECTIQUE

Les personnalités fortes trippent sur ce style sur mesure qui défie les conventions mode du moment. Ça choque, ça bouscule, ça s'amuse à emprunter aux codes vestimentaires originaux et à jouer les symboles contradictoires. C'est pas beau? C'est pas parfait? On s'en fout. L'humour et l'intelligence, ça ne passe jamais de mode!

Osez porter une couleur ou un accessoire «passé date». Parce que le plaisir, lui, est intemporel.

L'icône

* MADONNA

Marier érotisme et religion? Elle l'a fait! Son mix crucifix-guêpière a attiré tous les radars mode dans les années 80. Et ce n'était qu'un début: les tenues déjantées de la chanteuse vues dans la vidéo *Like a Virgin* (1984) et les suivantes ont marqué les esprits. Bodys, enfilade de bracelets caoutchoutés, dentelle noire, gants ajourés, robe de mariée hybride à multiples grigris. Oui, provocation et mode sont gravés dans l'ADN de MDNA.

Les adeptes

SOLANGE KNOWLES ET DIANE KRUGER

LES ESSENTIELS DE LA GARDE-ROBE

- Robe asymétrique
- Haut écourté
- Pull TTG
- Veste structurée
- Jupe féminine
- Legging
- Collant
- Bottes de chantier
- Chapeau ou casquette

SEXY

C'est au cinéma que l'on doit l'iconique femme sexy: oui, Hollywood fabrique ce genre de star et nous, on a envie de les copier. Cela dit, le sex-appeal dépasse la question des tenues affriolantes, et ça, même Marilyn le savait. Qu'on se le dise, jeans et chemisier blanc suffisent parfois à susciter l'émotion. Bref, être sexy, c'est une question d'attitude.

Parfait exemple de bon goût: quand on montre le bas, on couvre le haut, et vice-versa.

L'icône

* SOPHIA LOREN

Le monde entier admirait (et convoitait!) son regard envoûtant souligné à grands traits, ses lèvres pulpeuses, son décolleté vertigineux, ses courbes généreuses, sa grâce féline. Pourtant c'est grâce à son esprit vif et à ses talents d'actrice que la beauté italienne a décroché ses rôles principaux. Sophia a été ZE *sex-symbol* des années 50, au même titre que les légendaires Marilyn Monroe et Brigitte Bardot.

Les adeptes

SOFÍA VERGARA ET ADRIANA LIMA

LES ESSENTIELS DE LA GARDE-ROBE

- Robe longue fendue
- Robe sirène
- Robe courte
- Guêpière
- Tout ce qui est transparent
- Bas résille
- Talons aiguilles et talons hauts
- Créoles

MINIMALISTE

«Moins, c'est toujours mieux» est le leitmotiv des fidèles du minimalisme. Ce style est né dans les années 60, en opposition au pop art d'Andy Warhol, et vise à réduire le design à l'essentiel. Des créateurs japonais comme Yohji Yamamoto y apporteront ensuite leur touche perso, favorisant la coupe et jouant des volumes. Bref, les minimalistes d'aujourd'hui sont anti-bling et affichent une allure épurée, essentiellement filiforme mais toujours féminine.

Tout réduire au minimum pour avoir un max d'effet, c'est possible. En voici la preuve.

L'icône

✱ AUDREY HEPBURN

Son élégance discrète (silhouette 100 % noire), son port de reine (grâce à ses années de ballet) et son allure garçonne (à l'opposé des formes pulpeuses de son époque) ont marqué les esprits et la pellicule. Elle sera oscarisée en 1954 et deviendra l'égérie presque-à-vie de Givenchy. Elle restera l'ambassadrice de la petite robe noire: Audrey, toutes les filles te disent merci!

Les adeptes

TILDA SWINTON ET ROONEY MARA

LES ESSENTIELS DE LA GARDE-ROBE

- Chemisier blanc
- Col roulé ultra-moulant
- Encolure graphique (dont un en V plongeant)
- Robe ballon
- Robe sans manches
- Robe ligne A ou trapèze
- Pantalon fuseau ou legging
- Palazzo
- Bijou graphique unique (comme une mégabague cubique)
- Pochette sobre
- Chaussures discrètes (ballerines, escarpins simplissimes)

ROCKEUSE

L'experte
KATE LANPHEAR

Ce style puise ses codes dans les années 80, où il atteint son apogée grâce à des chanteuses et des musiciennes aussi flamboyantes que cuirassées. Ici, deux genres se démarquent: d'abord la «glam», dans le genre poupée sexy ultra-maquillée, à la crinière ébouriffée et décolorée, puis la «hard», une sombre rebelle souvent chaussée de bottes militaires. Pour vous, ce sera noir corbeau ou blond platine?

Besoin d'inspiration pou[r] vous créer un loo[k] rock sulfureux? Jetez un œil aux tenues de Lita Ford et des sœurs Wilson du groupe Heart.

L'icône

✱ JOAN JETT

À l'âge tendre de 15 ans, elle cofonde le groupe punk The Runaways. En 1982, avec son groupe, Joan Jett and the Blackhearts, elle propulse le tube *I Love Rock N' Roll* au sommet des palmarès. Aujourd'hui, la charismatique guitariste et chanteuse a la mi-cinquantaine et huit albums platine à son actif. Armée de son regard charbonneux et de son légendaire perfecto, elle soulève encore les foules partout sur la planète rock.

Les adeptes

MILEY CYRUS ET GWEN STEFANI

LES ESSENTIELS DE LA GARDE-ROBE

- Perfecto
- T-shirt affichant le nom d'un groupe
- Camisole à bretelles spaghetti
- Haut écourté
- Jean *skinny* ou jegging
- Minijupe
- Combishort
- Body
- Corset
- Bottes de moto
- Cuissardes à talons hauts
- Bijoux à clous et à rivets

CLASSIQUE

Atteindre la perfection en tout temps? Certaines savent comment. Leur truc? S'appuyer sur des valeurs sûres et ne jamais céder à l'attrait de la nouveauté. Les classiques préfèrent la symétrie à l'excentricité, le romantisme à tout ce qui est trop sexy. Leurs basiques les plus branchés? Les indémodables. Bref, être classique, c'est oublier les gaffes mode potentielles... pour toujours.

Ajoutez du punch à votre look en choisissant un sac qui fait «pow!».

Les adeptes

CHARLOTTE CASIRAGHI ET GWYNETH PALTROW

L'icône

* GRACE KELLY

Cette actrice américaine fut la muse d'Alfred Hitchcock, puis princesse de Monaco (elle épouse le prince Rainier III en 1956) et maman des célèbres Albert, Caroline et Stéphanie. Elle est, de plus, l'éternelle égérie du look classique. Sa définition perso du style? Élégance aristocratique, allure romantique et grâce innée en tout temps.

LES ESSENTIELS DE LA GARDE-ROBE

- Collier de perles
- Tailleur Chanel façon Jackie O.
- Veste cintrée
- Chemisier fluide
- Jupe crayon au genou
- Jupe plissée
- Twin-set
- Robe de soirée bijoutée
- Pantalon à jambes droites sans pinces
- Trench trois-quarts
- Robe cache-cœur à imprimé floral
- Sac matelassé à chaînette
- Montre élégante
- Escarpins à bout pointu
- Carré de soie
- Sac à poignée structuré (du type sac Kelly d'Hermès)
- Barrette à strass
- Pendants d'oreilles

COMMENT S'HABILLER SELON SA SILHOUETTE

«Vous devez comprendre ce qui met votre silhouette en valeur. Ça ne veut pas dire d'ignorer les tendances, mais de les intégrer à votre garde-robe et les adapter à vos formes.»

ROSALIE
RESPONSABLE
MODE WEB

Dans ce chapitre

IDENTIFIEZ VOTRE SILHOUETTE

APPRENEZ À METTRE VOS FORMES EN VALEUR

DÉCOUVREZ VOTRE GARDE-ROBE IDÉALE

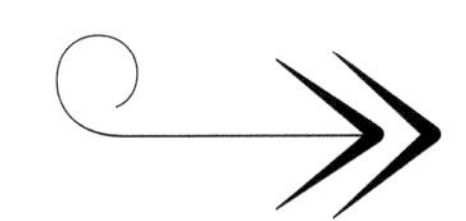

LES NOUVELLES RÈGLES

«Chaque magicienne a ses petits trucs de base. En voici cinq qui vous assureront d'époustoufler la galerie.»

RÈGLE N°1: DÉCODEZ VOTRE SILHOUETTE

Peu importe le nombre d'essais-erreurs que vous ferez en cabine, profitez des séances d'essayage pour comprendre ce qui vous va bien. Si vous avez du mal à trouver le problème, appelez votre meilleure (et plus sincère) amie à la rescousse, et laissez votre amour-propre à la porte de la boutique.

RÈGLE N°2: VOUS VALEZ PLUS QUE LA TENDANCE

Si vous ne vous sentez pas bien à 100 % dans vos fringues, c'est qu'elles n'ont pas leur place dans votre garde-robe. Tous les items de votre placard devraient vous aller comme un gant, ce qui veut dire que vous devrez passer outre à certaines tendances. Parfois, c'est un mal pour un bien!

RÈGLE N°3: DU SUR-MESURE S'IL VOUS PLAÎT!

Rares sont les articles en boutique qui vont parfaitement. Il ne faut pas mettre le holà au shopping pour autant. Avec le nom d'un bon tailleur dans votre carnet, vous pouvez transformer un vêtement de façon qu'il souligne bien votre silhouette. Rappelez-vous simplement qu'il faut choisir la taille qui habille la partie la plus forte de votre corps: il est plus facile d'enlever du tissu que d'en ajouter.

RÈGLE N°4: L'HONNÊTETÉ EST LA PLUS GRANDE DES QUALITÉS

La taille est un simple numéro, et la vôtre varie en fonction des marques. Notre conseil: ignorez ces chiffres et concentrez votre attention sur la manière dont le vêtement vous habille. Si ça veut dire qu'il faut couper l'étiquette façon Mariah Carey, alors faites-le.

RÈGLE N°5: LE POUVOIR DES DESSOUS

À Hollywood, tout le monde a ses petits secrets. En voici un de taille: toutes les stars portent des sous-vêtements gainants. Leur effet est toujours concluant. Les dessous sexy? Gardez-les pour le boudoir.

SILHOUETTE 101

- Vos hanches sont plus larges que vos épaules.
- Le bas de votre corps est plus fort que le haut.
- Votre taille est naturellement définie.

- Le haut et le bas de votre corps sont symétriques.
- Votre taille est définie. Vous avez des courbes de sirène.
- Vos proportions sont parfaites (enfin, presque!).

- Vous prenez la même taille en haut et en bas.
- Vous êtes mince, mais votre taille n'est pas définie.
- Poitrine, taille, hanches, fesses, tout est menu.

POUR DÉCOUVRIR QUELLE EST VOTRE SILHOUETTE

«TENEZ-VOUS D'ABORD FACE À UN MIROIR, EN SOUS-VÊTEMENTS. OBSERVEZ VOTRE CORPS ET NOTEZ-EN LES CARACTÉRISTIQUES LE PLUS OBJECTIVEMENT POSSIBLE. PUIS, PRENEZ UN RUBAN À MESURER. VOUS AUREZ AINSI DES CHIFFRES SUR LESQUELS APPUYER VOS OBSERVATIONS.»

JULIA, RÉDACTRICE EN CHEF

SILHOUETTE VS TAILLE

Gardez en tête que la silhouette et la taille ne vont pas nécessairement de pair. La preuve? Une fille à la poitrine généreuse peut aussi être taille plus. Oui, la beauté vient en plusieurs formats.

Poitrine généreuse

- Le haut de votre corps est plus imposant que le bas.
- Votre tour de taille est beaucoup plus petit que votre buste.
- Vos hanches sont étroites et vos jambes sont élancées.

Athlétique

- Vos épaules et vos bras en imposent.
- Les mensurations de votre buste, de votre taille et de vos hanches sont à peu près les mêmes.
- Vous avez des jambes musclées et des hanches étroites.

Diamant

- Vos hanches sont plus étroites que votre poitrine, qui est généreuse ou de taille moyenne.
- Même si vous n'avez pas de ventre, le centre de votre corps est la partie la plus volumineuse.
- Votre taille n'est pas définie.

LES MANCHES COURTES ET LES DÉCOLLETÉS PLONGEANTS ATTIRENT LES REGARDS, ALORS QUE LA JUPE DROITE CRÉE UN ÉQUILIBRE AU NIVEAU DES HANCHES. BIEN JOUÉ!
JENNIFER LOVE HEWITT

HANCHES LARGES

Votre but est d'allonger votre silhouette et d'attirer l'œil vers le haut, loin de ces hanches qui réclament l'attention.

ADOPTEZ

- Les pantalons évasés, parce qu'ils allongent les jambes comme par magie. Faites-en provision!
- Les hauts de couleurs vives, à motifs ou à broderies.
- Les accessoires qui en jettent, comme une écharpe, de grosses boucles d'oreilles ou des colliers, qui ajouteront du volume au haut de votre corps, équilibrant ainsi la silhouette.

ÉVITEZ

- Les vestes et les hauts coupés aux hanches, qui accentuent illico leur ampleur. Optez pour des modèles plutôt courts ou carrément longs.
- Les jupes et les robes moulantes, qui embrassent (peut-être un peu trop!) chacune des courbes.
- Les *skinny*, qui ont tendance à souligner les hanches.

UN EFFET CRÉÉ GRÂCE À DES BLOCS DE COULEURS POUR AFFINER LA TAILLE ET HOP! DES HANCHES QUI ONT L'AIR TOUT À FAIT BIEN PROPORTIONNÉES.
LA VESTE AURAIT PU ÊTRE PLUS COURTE, MAIS LA JUPE CIRCULAIRE SAUVE LA MISE EN DISSIMULANT LES FORMES.
DEMI LOVATO
MICHELLE TRACHTENBERG
ALICIA KEYS
TROIS POINTS DE BONI : LA JUPE EST ÉVASÉE, L'IMPOSANT COLLIER FAIT DIVERSION ET LES ESCARPINS ALLONGENT LES JAMBES.

Dites non aux matières qui moulent vos hanches et vos jambes: elles révèlent certains détails de votre silhouette qu'il vaut mieux camoufler.

STRATÉGIE SHOPPING: Recherchez des tops et des accessoires qui attirent l'attention sur le haut du corps. Pantalons et jupes doivent être taillés de manière à créer une illusion de verticalité.

HANCHES LARGES
VOS MUSTS

1

LA ROBE RÉTRO

QU'ELLES SOIENT COROLLES, À FROUFROUS (BONJOUR FIFTIES!) OU PLUS MINIMALISTES (PENSEZ ANNÉES 60), LES ROBES RÉTRO ONT LE CHIC POUR AVANTAGER LA SILHOUETTE.

2

LE JEAN *BOOTCUT*

LA COUPE ÉVASÉE CRÉE UNE SYMÉTRIE ENTRE LE HAUT ET LE BAS DE VOS JAMBES, LES FAISANT PARAÎTRE MINCES, LONGUES ET JOLIES. L'AUTRE OPTION? LA COUPE JAMBES LARGES, QUI TOMBE TOUT DROIT À PARTIR DU POINT LE PLUS LARGE DE VOS HANCHES.

3

LE HAUT COLORÉ

UNE GARDE-ROBE REMPLIE DE CORSAGES DE COULEURS VIVES NE FAIT PAS QUE REMONTER LE MORAL: C'EST UNE SUPER STRATÉGIE POUR GARDER L'ATTENTION SUR LE HAUT DU CORPS.

5

L'ENCOLURE BATEAU

LA STRATÉGIE GAGNANTE POUR AMINCIR VOS HANCHES? MISEZ SUR VOS ÉPAULES: UN HAUT QUI LES FAIT PARAÎTRE PLUS LARGES PERMET DE REMPORTER FACILEMENT CE PARI.

4

LA JUPE ÉVASÉE

LA LIGNE «A» CRÉE DU VOLUME À LA HAUTEUR DES GENOUX, GOMMANT AINSI VOTRE ARRIÈRE-TRAIN, QU'IL SOIT IMPOSANT, PLAT, OU QUE VOUS NE DÉSIREZ PAS SOULIGNER. ET PUIS, C'EST MIGNON, NON?

6

LE COLLIER IMPOSANT

LES ACCESSOIRES ONT LE POUVOIR DE TRANSFORMER UN LOOK PLUTÔT ORDINAIRE EN UNE TENUE DU TONNERRE. ET IL Y A MIEUX: UN COLLIER SPECTACULAIRE PEUT FAIRE OUBLIER DES HANCHES LARGES.

DANS LE DOUTE:
FAITES PLEIN PHARE
SUR VOS COURBES,
EN SOULIGNANT VOTRE
TAILLE ET ENFILEZ
D'OFFICE DES TALONS
POUR ALLER CHERCHER
LE MAX DE HAUTEUR.
KIM KARDASHIAN

TOUTE EN COURBES

Vous avez la silhouette dont rêvent toutes les femmes (... et les hommes). N'ayez pas peur, affichez-la sans gêne!

ADOPTEZ

- La jupe crayon, coupée près du corps et hyper élégante.
- Les robes portefeuille qui minimisent le buste tout en soulignant votre taille fine.
- Un soutien-gorge qui supporte bien votre poitrine, ce qui a pour effet d'affiner la taille.

ÉVITEZ

- Les vêtements trop amples, les drapés, ce qui tombe droit et dissimule votre silhouette.
- Les plis, poches et autres détails qui ajoutent du volume au buste, au ventre ou aux cuisses.
- Les encolures trop strictes.

POUR UNE SORTIE EN VILLE, JETEZ VOTRE DÉVOLU SUR UN FOURREAU DE SIRÈNE, MOULANT DE LA TAILLE AUX HANCHES ET ÉVASÉ AUX GENOUX.
KATY PERRY
EVA MENDES
POUR RÉTABLIR LES PROPORTIONS ENTRE LA POITRINE GÉNÉREUSE ET LES HANCHES, RIEN NE VAUT LES MANCHES.
JENNIFER HUDSON
EN CONQUÉRANTE DU STYLE, DÉFINISSEZ LA FRONTIÈRE ENTRE LE HAUT ET LE BAS AVEC UNE JUPE ET UN HAUT DE COULEURS, ET MISEZ SUR DES MATIÈRES DIFFÉRENTES. GAGNÉ!

Tenez-vous à distance des tailles Empire: elles mettent l'accent sur la cage thoracique, qui n'est pas la plus petite partie de votre anatomie.

STRATÉGIE SHOPPING: Ciblez les pièces qui dévoilent vos jolies épaules, mettent en valeur votre poitrine et votre taille menue. Le jean à jambes droites est votre meilleur ami lorsque vient le temps de mettre votre silhouette de l'avant.

TOUTE EN COURBES

VOS MUSTS

1

LE HAUT À DÉCOLLETÉ EN V

LES DÉCOLLETÉS PLONGEANTS ATTIRENT L'ŒIL VERS LE CENTRE DE VOTRE CORPS ET ONT UN EFFET AMENUISANT SUR VOTRE POITRINE. OUI, OUI!

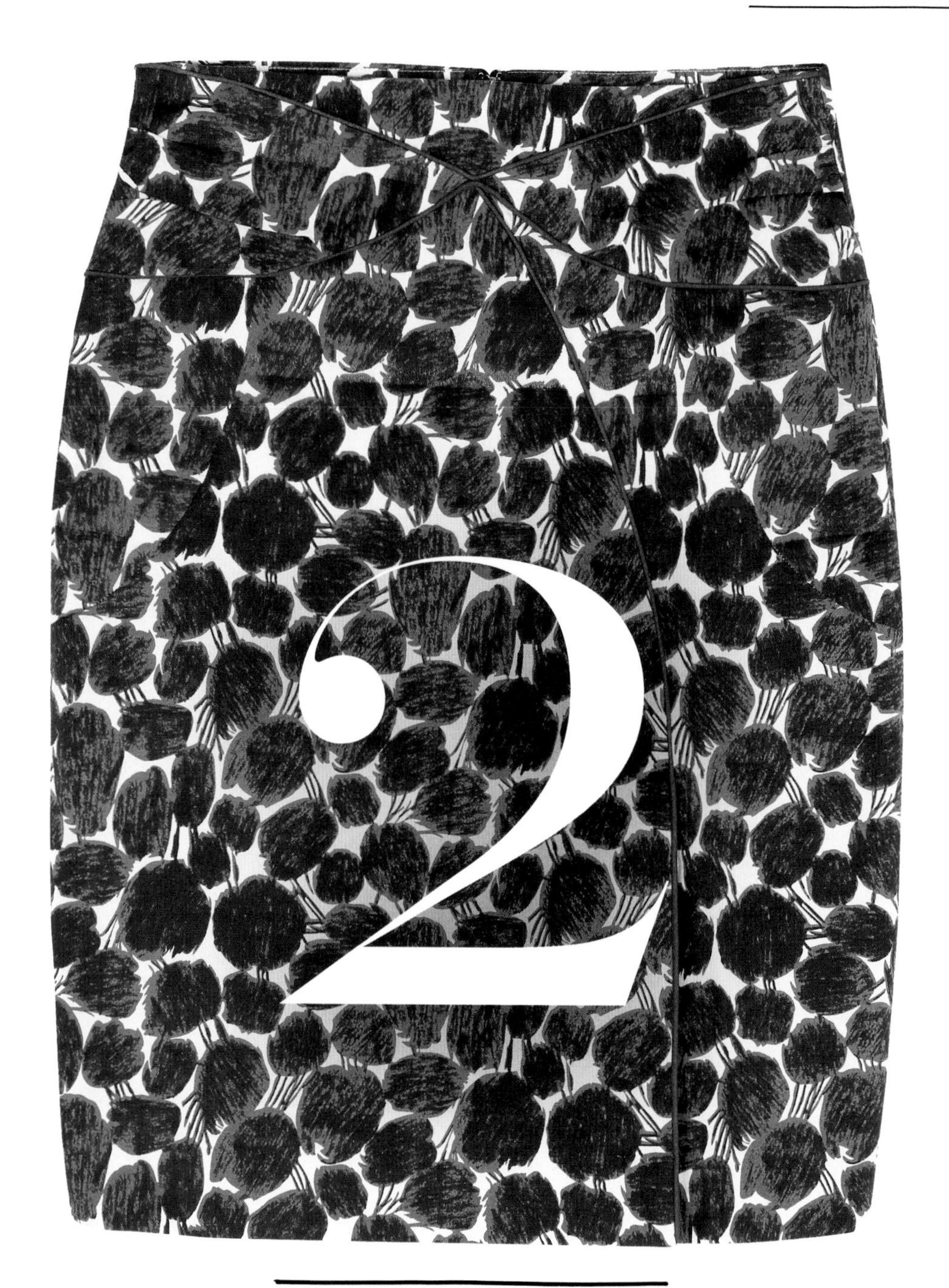

LA JUPE CRAYON

CETTE COUPE CLASSIQUE A UN EFFET FLATTEUR SUR PRESQUE TOUTES LES SILHOUETTES ET DONNE LE PLUS BEL EFFET EN EMBRASSANT VOS COURBES À LA PERFECTION.

3

LE JEAN *SKINNY* À TAILLE HAUTE

N'IGNOREZ PAS VOS COURBES, TIREZ-EN PLUTÔT AVANTAGE. COMMENT? EN PRIVILÉGIANT LES TAILLES HAUTES, QUI DISENT BYE-BYE AUX BOURRELETS.

4

LA CEINTURE

POUR SCULPTER UNE SILHOUETTE D'ENFER, ATTACHEZ VOTRE CEINTURE... LÀ OÙ VOTRE TAILLE EST LA PLUS FINE!

5

LA ROBE CINTRÉE

LES MEILLEURS ALLIÉS D'UNE TAILLE AFFINÉE? LES DRAPÉS STRATÉGIQUEMENT POSITIONNÉS, LES BASQUES ULTRA-FÉMININES, LES BUSTIERS STRUCTURÉS ET, BIEN SÛR, LES TAILLES CINTRÉES!

CROYEZ AU POUVOIR INFINI DE LA VESTE: ELLE DONNE UNE JOLIE CARRURE ET SOULIGNE LA TAILLE.
GWYNETH PALTROW

LONGILIGNE

Votre mantra mode: faire croire à tout le monde que vous avez des courbes.

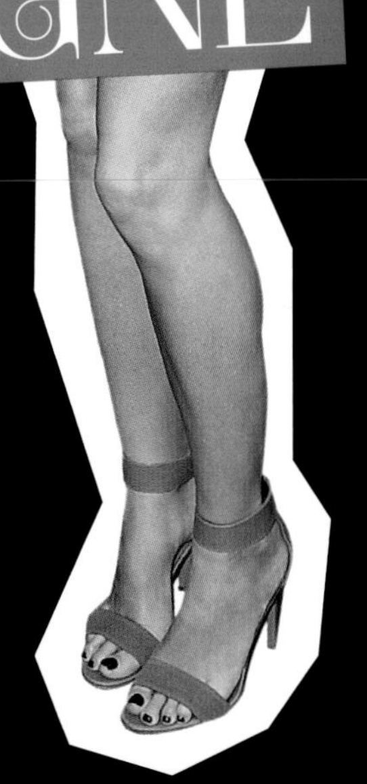

ADOPTEZ

- Les jolis détails (appliques florales, volants et paillettes) qui donnent du volume.
- Les encolures bénitier, qui créent l'illusion d'une poitrine plus généreuse.
- Tout ce qui permet de diviser la silhouette, depuis les ceintures étroites jusqu'aux blocs de couleurs en passant par les vestes.

ÉVITEZ

- Les vêtements informes qui ne mettent pas l'accent sur la taille.
- Les éléments piqués au vestiaire masculin qui vous donnent une allure garçonne.
- Tout ce qui est surdimensionné, qui vous fera paraître encore plus mince.

LA PERFECTION FAÇON PRINCESSE? CE DRAPÉ CRÉE UN VOLUME INTÉRESSANT ALORS QUE LA CEINTURE MARQUE LA TAILLE. SIMPLE, CHIC, EFFICACE.
ATIE HOLMES
KATE MIDDLETON
CHARLIZE THERON
LA TRICHE DE TAILLE? ENTRER UN HAUT BLANC DANS UN JEAN SKINNY NOIR POUR CINTRER LA SILHOUETTE. MERCI POUR LE TUYAU!
L'ÉLÉGANTE BASQUE METTRA L'ACCENT SUR VOS COURBES TIMIDES ALORS QUE LA COUPE BUSTIER ATTIRERA L'OEIL SUR LE HAUT DE VOTRE CORPS. BLUFFANT!

STRATÉGIE SHOPPING: Garnissez votre garde-robe de vêtements dont la coupe et la texture permettent de tricher sur les volumes. Sculptez les parties de votre silhouette avec des accessoires et des vestes.

LONGILIGNE

VOS MUSTS

1

LA JUPE AMPLE

PENSEZ BALLON, TULIPE OU VOLANTS, BREF, PENSEZ MATIÈRE EN QUANTITÉ POUR AJOUTER DU VOLUME ET FÉMINISER VOTRE SILHOUETTE.

2

LA ROBE À BLOCS DE COULEURS

LES DIFFÉRENTES NUANCES AJOUTENT DE LA DIMENSION ET DÉFINISSENT MIEUX LES FORMES (UN PEU TROP) GRACILES.

3

L'ENCOLURE BÉNITIER

TRICHEZ SANS PASSER PAR LA CASE REMBOURRAGE (OU CHIRURGIE!) EN ENFILANT UN HAUT À ENCOLURE BÉNITIER. LE DRAPÉ GÉNÉREUX DONNE DU VOLUME À LA POITRINE.

4

LE MINISHORT

RÉVÉLEZ VOS ATOUTS ET LAISSEZ LES SHORTS ULTRA-COURTS VOUS FAIRE UNE BELLE JAMBE.

5

LA CEINTURE ÉTROITE

POUR UN LOOK LÉCHÉ ET UNE TAILLE ACCENTUÉE, UNE PETITE CEINTURE SUFFIT.

6

LE JEAN CIGARETTE

ENFILEZ UN JEAN COUPÉ À LA CHEVILLE ET ATTIREZ INSTANTANÉMENT LES REGARDS SUR VOS LOOONGUES GAMBETTES.

LE NOIR AFFINE LA SILHOUETTE? ET PUIS? ON CONTOURNE LES RÈGLES ET ON PROUVE QUE LA COULEUR PEUT AUSSI ÊTRE LA MEILLEURE AMIE DES FILLES PLANTUREUSES.

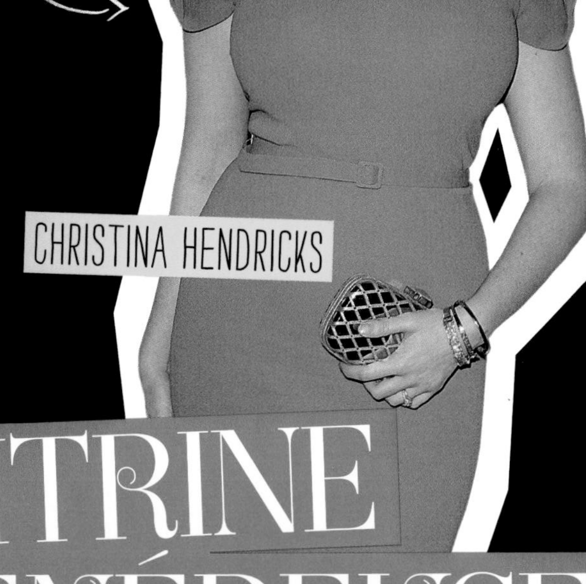

CHRISTINA HENDRICKS

POITRINE GÉNÉREUSE

Avantagez votre décolleté sans pour autant mettre l'accent sur votre poitrine.

ADOPTEZ

- Pantalons, jupes et shorts de couleurs vives. Si ça fait «pop» en bas, les regards ne s'attarderont pas sur votre buste. C'est prouvé.
- Les jeans évasés qui allongent la jambe, retiennent l'attention là où vous le désirez et équilibrent la silhouette.
- Les encolures dégagées qui dévoilent un peu de peau au cou et au décolleté: elles mettent votre visage en lumière.

ÉVITEZ

- Les bretelles spaghetti, les encolures fermées (ras-du-cou, cols cheminée et polo) qui sont du pire effet.
- Les hauts trop grands. (Si vous prenez une taille au-dessus à cause de votre poitrine, demandez à votre tailleur d'ajuster tout le reste du vêtement pour qu'il vous aille à la perfection.)
- Les soutiens-gorges qui n'offrent aucun support.

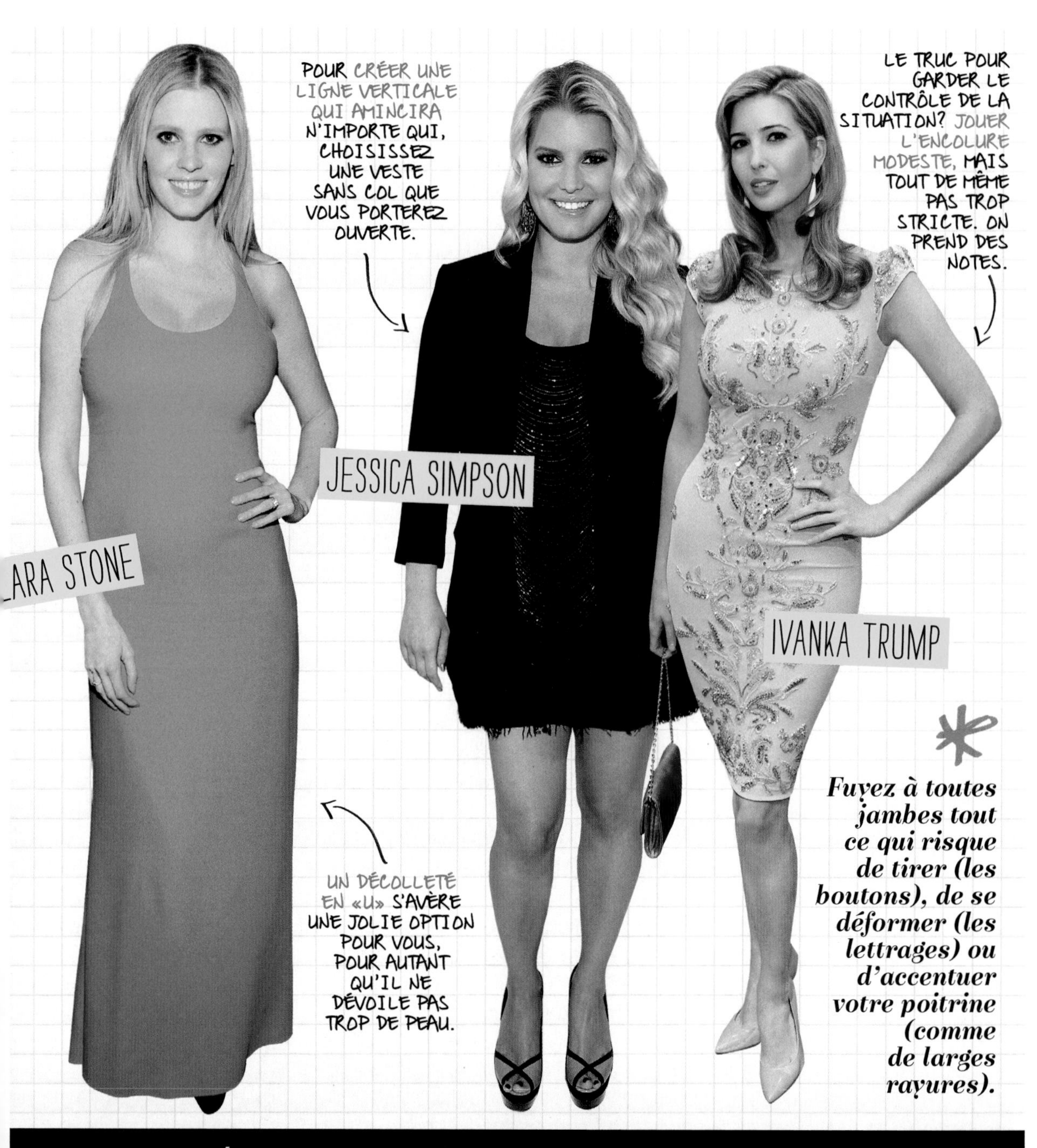

POUR CRÉER UNE LIGNE VERTICALE QUI AMINCIRA N'IMPORTE QUI, CHOISISSEZ UNE VESTE SANS COL QUE VOUS PORTEREZ OUVERTE.
LE TRUC POUR GARDER LE CONTRÔLE DE LA SITUATION? JOUER L'ENCOLURE MODESTE, MAIS TOUT DE MÊME PAS TROP STRICTE. ON PREND DES NOTES.
JESSICA SIMPSON
LARA STONE
IVANKA TRUMP
UN DÉCOLLETÉ EN «U» S'AVÈRE UNE JOLIE OPTION POUR VOUS, POUR AUTANT QU'IL NE DÉVOILE PAS TROP DE PEAU.

Fuyez à toutes jambes tout ce qui risque de tirer (les boutons), de se déformer (les lettrages) ou d'accentuer votre poitrine (comme de larges rayures).

STRATÉGIE SHOPPING: Jetez votre dévolu sur des coupes cintrées en haut et osez le plein volume en bas. L'ajustement est ultra-important: si les boutons menacent de sauter, ou le tissu de se déchirer, passez votre tour.

POITRINE GÉNÉREUSE

VOS MUSTS

1

LA VESTE CLASSIQUE

PAS DE COL NI DE REVERS COMPLIQUÉS, UNE COUPE SIMPLE ET STRUCTURÉE, POINT. ASSUREZ-VOUS QU'ELLE SE BOUTONNE SANS TIRER AU BUSTE, PUIS DEMANDEZ À VOTRE TAILLEUR DE L'AJUSTER DE FAÇON À SOULIGNER VOTRE TAILLE.

LE JEAN ÉVASÉ

CE QUE TOUTES LES FILLES QUI ONT UNE POITRINE VOLUMINEUSE DOIVENT ABSOLUMENT SAVOIR? UN JEAN ÉVASÉ CRÉE L'ÉQUILIBRE PARFAIT ENTRE LE HAUT ET LE BAS DE VOTRE CORPS.

3

LA JUPE COLORÉE

ENFILEZ UNE JUPE DE COULEUR VIVE ET AGENCEZ-LA À UN HAUT FONCÉ. QUI ÇA, MOI? UNE POITRINE GÉNÉREUSE?

4

LA ROBE DRAPÉE

ENFILEZ UNE ROBE AVEC UN DRAPÉ QUI CASCADE VERS LE BAS, CE QUI AIDERA À CRÉER UNE LIGNE VERTICALE ET VOLERA LA VEDETTE À VOTRE POITRINE.

5

LE COLLIER PRINCESSE

CHOISISSEZ UN COLLIER QUI TOMBE ENTRE LES CLAVICULES ET LA POITRINE. QUESTION D'EFFLEURER LE BUSTE.

LE DÉCOLLETÉ EN U

LES DÉCOLLETÉS ARRONDIS VOUS DONNENT L'AIR DE PORTER UNE TENTE. CEUX EN «V» SONT TROP RÉVÉLATEURS. LA SOLUTION IDÉALE? LE MODÈLE EN «U».

DES ASYMÉTRIES AMUSANTES ET, PLUS IMPORTANT ENCORE, UNE CEINTURE ÉTROITE DONNENT DU VA-VA-VOUM À UNE SILHOUETTE ATHLÉTIQUE.
CAMERON DIAZ

ATHLÉTIQUE

Foncez sur les coupes structurantes et les détails (comme les découpes ou les plis) qui feront croire à tous que vous avez (réellement) des courbes.

ADOPTEZ

- Les vestes moulantes. Mieux encore, les modèles cintrés, aux épaules sculptées, avec ourlet à basque par-dessus le marché.
- Les rayures horizontales, qui aident à épaissir un peu la silhouette.
- Les jupes et les robes ligne «A» qui féminisent l'allure.

ÉVITEZ

- Les coupes droites, larges, qui gomment vos formes.
- Les pantalons à jambes évasées ou larges. (Essayez plutôt les jambes droites, qui vous mettront davantage en valeur.)
- Les pièces sans ornement, minimalistes ou d'inspiration masculine.

LA JUPE EVASÉE HYPER ROMANTIQUE ADOUCIRA JOLIMENT LES CONTOURS DE VOTRE SILHOUETTE.
JULIANNE HOUGH
MILA KUNIS
DU VOLUME UN PEU FLOU ET UNE TAILLE BASSE AJOUTERONT UN PEU DE CHAIR AUTOUR DE VOTRE SILHOUETTE SVELTE.
KELLY ROWLAND
SI VOTRE TAILLE N'EST PAS SUPER BIEN DÉFINIE, ATTIREZ LES REGARDS VERS LA PARTIE LA PLUS ÉTROITE DE VOTRE CORPS. OUI, JUSTE LÀ, SOUS LA CAGE THORACIQUE.

STRATÉGIE SHOPPING: Concentrez-vous sur les vêtements qui mettent vos belles et fortes épaules en valeur, ce qui crée du volume au niveau du buste et définit la taille. Et pour ajouter encore plus de formes, pensez imprimés et ornements.

1

ATHLÉTIQUE

VOS MUSTS

LA ROBE ASYMÉTRIQUE

LES COUPES INHABITUELLES DISTRAIENT L'ŒIL. DU COUP, ON ADMIRE VOS TALENTS DE STYLISTE ET ON OUBLIE VOS MUSCLES.

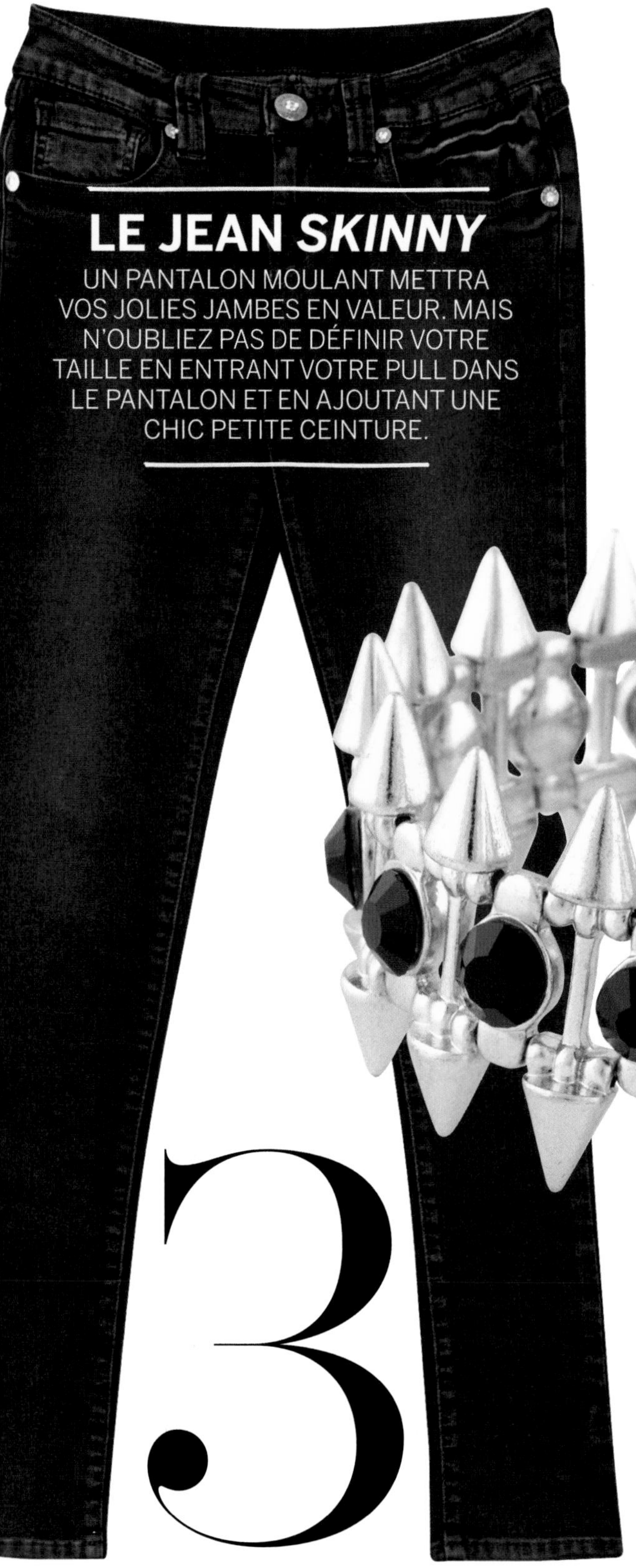

2

LE JEAN *SKINNY*

UN PANTALON MOULANT METTRA VOS JOLIES JAMBES EN VALEUR. MAIS N'OUBLIEZ PAS DE DÉFINIR VOTRE TAILLE EN ENTRANT VOTRE PULL DANS LE PANTALON ET EN AJOUTANT UNE CHIC PETITE CEINTURE.

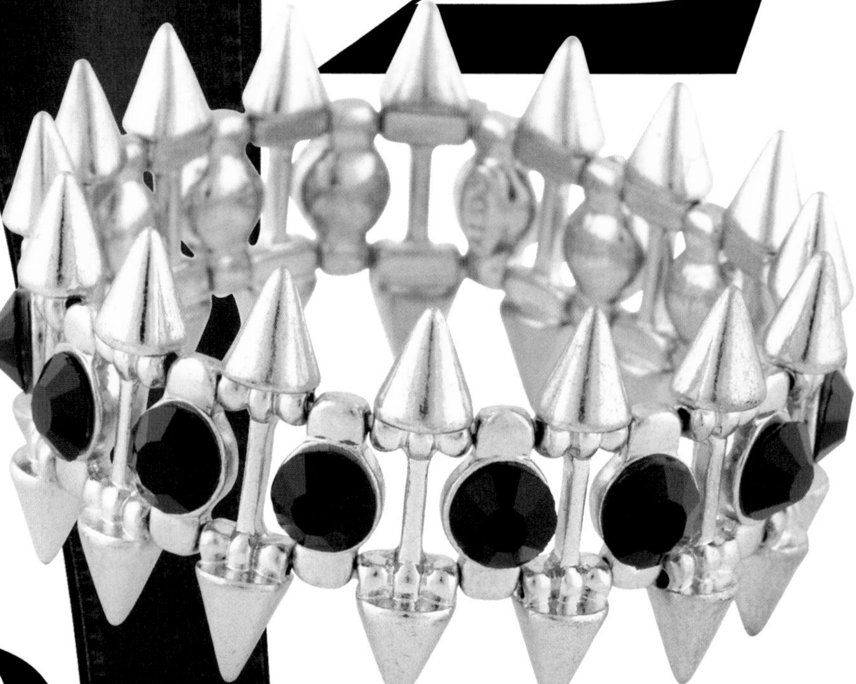

3

LES BRACELETS

LA TOUCHE FINALE DE VOS TENUES? DES BRACELETS ET DES BAGUES EN QUANTITÉ. PLUS C'EST *GIRLY*, MIEUX C'EST.

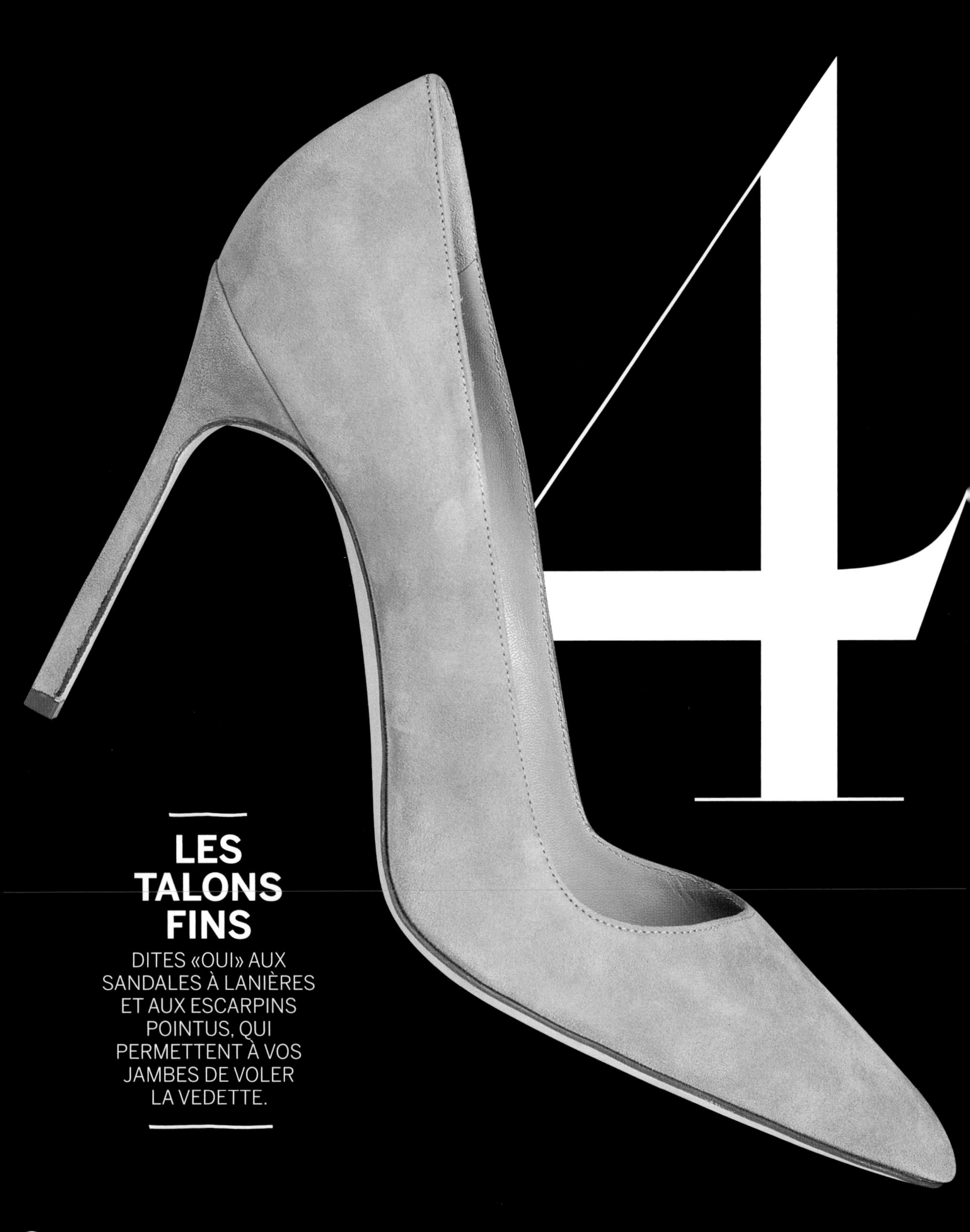

LES TALONS FINS

DITES «OUI» AUX SANDALES À LANIÈRES ET AUX ESCARPINS POINTUS, QUI PERMETTENT À VOS JAMBES DE VOLER LA VEDETTE.

5

LA JUPE MAXI

C'EST LE CHOIX PAR EXCELLENCE POUR JOUER LES FILLES À LA FOIS DOUCES, MIGNONNES ET MODERNES. TOUT À FAIT VOUS, QUOI!

6

LE T-SHIRT À LARGES EMMANCHURES

VOUS AVEZ TRAVAILLÉ DUR POUR AVOIR DE BEAUX BRAS, MAIS PARFOIS, IL VAUT MIEUX ADOUCIR UN PEU VOTRE CARRURE.

VESTE BIEN COUPÉE + ENCOLURE DÉGAGÉE. ON REMARQUE AINSI À PEINE LA TAILLE ET PUIS, AVEC UN PANTALON À JAMBES DROITES, UNE TELLE TENUE TIENT DU GÉNIE.
ANGELINA JOLIE

DIAMANT

Voici les trois règles à suivre absolument: montrez vos bras, dévoilez vos jambes et sculptez votre taille.

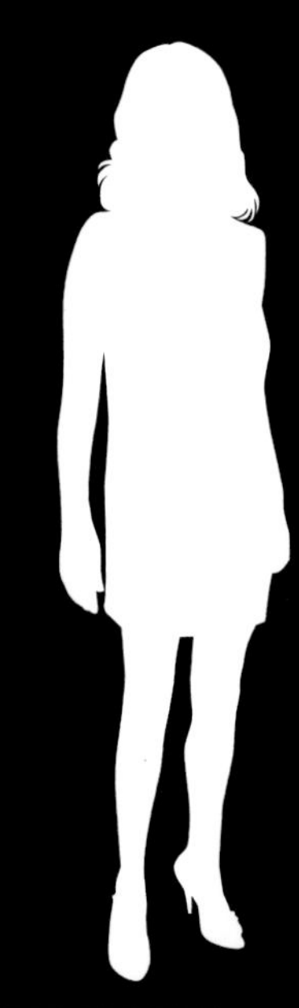

ADOPTEZ

- Les robes et les tuniques amples au niveau du ventre.
- Les jupes étroites, à condition de porter des sous-vêtements sans coutures ou des collants gainants.
- Les vestes et les cardigans à la taille définie, qui sculptent le milieu du corps.

ÉVITEZ

- Les hauts moulants et les vestes courtes qui mettent l'accent sur le milieu de votre corps.
- Les ceintures portées autour de votre taille naturelle. Mettez-la plutôt quelques centimètres plus haut que votre nombril, juste sous votre poitrine.
- Les jeans ultra-*skinny*, qui ne feront qu'accentuer l'importance du haut de votre corps.

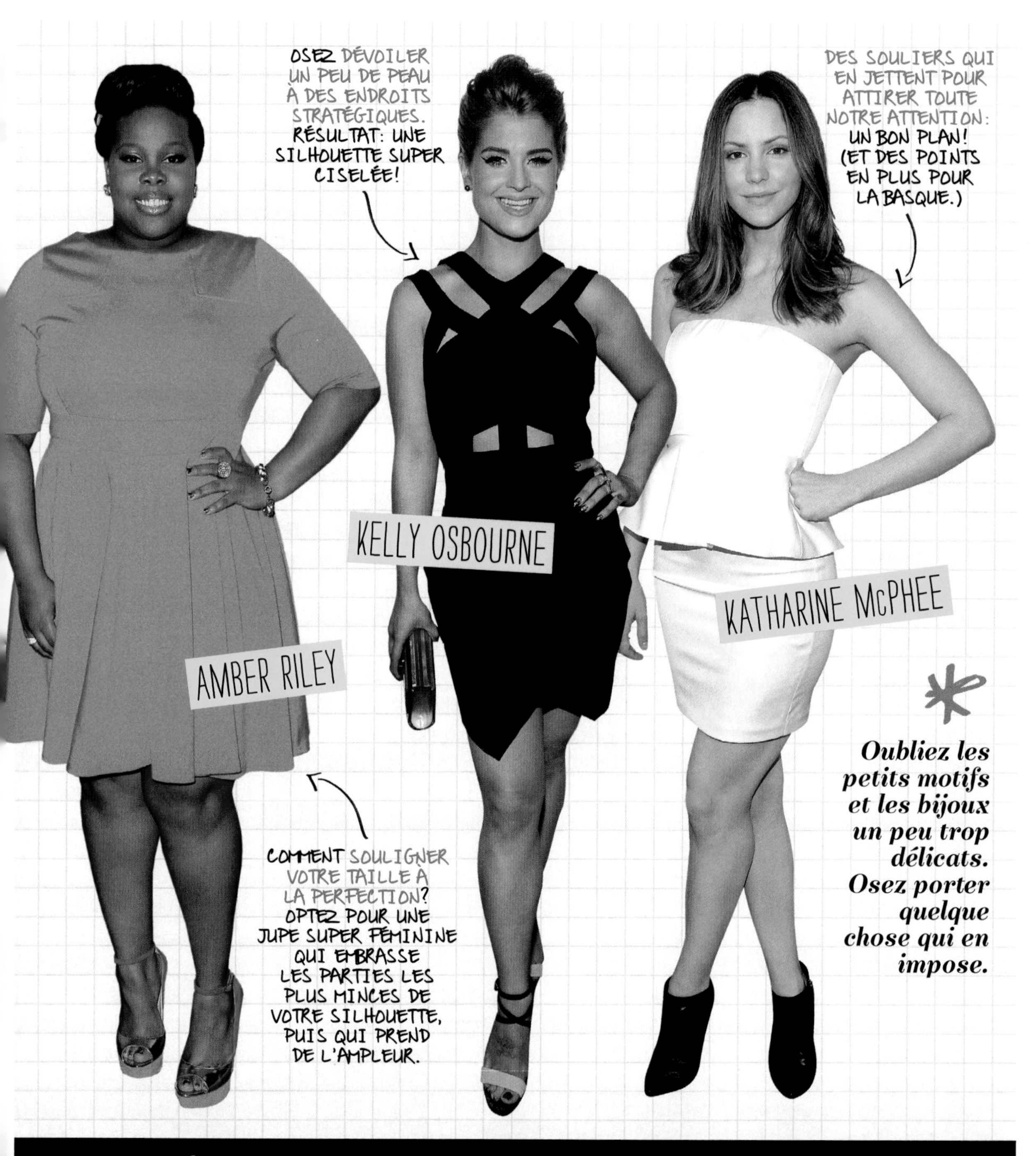

OSEZ DÉVOILER UN PEU DE PEAU À DES ENDROITS STRATÉGIQUES. RÉSULTAT: UNE SILHOUETTE SUPER CISELÉE!
DES SOULIERS QUI EN JETTENT POUR ATTIRER TOUTE NOTRE ATTENTION: UN BON PLAN! (ET DES POINTS EN PLUS POUR LA BASQUE.)
KELLY OSBOURNE
KATHARINE McPHEE
AMBER RILEY
COMMENT SOULIGNER VOTRE TAILLE À LA PERFECTION? OPTEZ POUR UNE JUPE SUPER FÉMININE QUI EMBRASSE LES PARTIES LES PLUS MINCES DE VOTRE SILHOUETTE, PUIS QUI PREND DE L'AMPLEUR.

Oubliez les petits motifs et les bijoux un peu trop délicats. Osez porter quelque chose qui en impose.

STRATÉGIE SHOPPING: Cherchez les items qui mettent vos bras et vos jambes en valeur. L'important: détourner l'attention de votre torse. Aussi, souvenez-vous que les jeans à jambes droites sont faits pour vous.

1

DIAMANT

VOS MUSTS

LE SAC À MAIN GÉANT

SOUVENEZ-VOUS DU POUVOIR AMINCISSANT DU SAC, SURTOUT S'IL EST PROPORTIONNEL À VOTRE SILHOUETTE. DANS VOTRE CAS, IL DOIT ÊTRE ASSEZ GRAND POUR TRANSPORTER TOUT CE DONT VOUS AVEZ BESOIN... EN PLUS DE QUELQUES PETITS ACHATS IMPRÉVUS!

2

LES BOUCLES D'OREILLES FILIFORMES

LE MOT D'ORDRE POUR LES ACCESSOIRES (LES BOUCLES D'OREILLES) ET AUTRES DÉTAILS (LES MOTIFS): LA VERTICALITÉ. ÇA ALLONGE LA SILHOUETTE? PRENEZ!

3

LA VESTE LONGUE

CHOISISSEZ UN MODÈLE STRUCTURÉ QUI TOMBE JUSTE SOUS LES HANCHES AFIN D'ÉVITER D'AJOUTER DU VOLUME AU HAUT DU CORPS. LE PLUS: VOUS SEREZ LOOKÉE ILLICO.

4

LA ROBE FOURREAU

TOUTES LES ROBES QUI SOULIGNENT LA PARTIE LA PLUS ÉTROITE DE VOTRE CORPS – OUI, LÀ, JUSTE SOUS LES CÔTES – SONT UN MUST.

5

LE PANTALON CIGARETTE

ÉTROIT JUSQU'EN BAS SANS POUR AUTANT ÊTRE ULTRA-MOULANT: C'EST LE PANTALON PARFAIT POUR SOULIGNER VOS JAMBES SVELTES. L'IDÉE GÉNÉRALE: AVOIR L'AIR ÉLANCÉE.

6

LES CHAUSSURES À MOTIFS

VOTRE GOÛT ASSURÉ POUR LES BELLES CHOSES SERA REMARQUÉ, SURTOUT SI VOUS ATTIREZ L'ATTENTION SUR LE BAS DE VOTRE CORPS.

COMMENT MAGASINER COMME UNE PRO

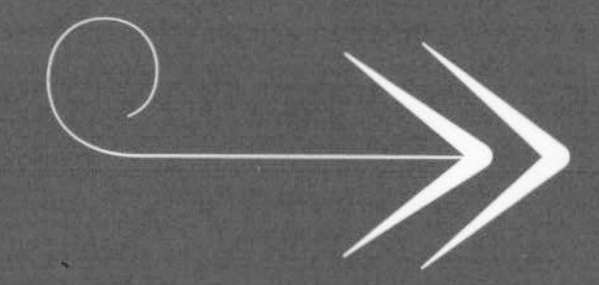

«Le secret de tout chef-d'œuvre architectural réside dans une base solide. Même logique pour sa garde-robe. Remplissez votre placard d'articles indispensables, puis ajoutez-y quelques pièces tendance à chaque saison. Résultat: versatilité assurée.»

MICHÈLE
DIRECTRICE
MODE

Dans ce chapitre

PASSEZ MAÎTRE DANS L'ART DU SHOPPING STRATÉGIQUE, C'EST-À-DIRE QUAND ET COMMENT MAGASINER

DISTINGUEZ LES PIÈCES DANS LESQUELLES IL FAUT INVESTIR DE CELLES QU'ON ACHÈTE POUR SE FAIRE PLAISIR

DRESSEZ VOTRE LISTE DE BASIQUES EN FONCTION DE CE QUI VOUS VA BIEN

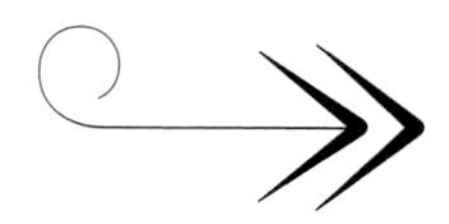

STRATÉGIE SHOPPING

«Votre mission, si vous l'acceptez, est de suivre ces quatre étapes pour devenir une pro du magasinage. Votre récompense? Le plaisir de remplir votre placard de fabuleuses trouvailles.»

ROSALIE
RESPONSABLE MODE WEB

1 FAITES LE VIDE

Débarrassez-vous de tout ce que vous n'avez pas porté depuis deux ans. À moins qu'un vêtement ait pour vous une grande valeur sentimentale ou que vous vous accrochiez à l'espoir qu'il revienne à la mode – comme les pattes d'ef –, les chances que vous ne le reportiez jamais sont élevées.

2 PRENEZ DES NOTES

Une fois votre placard dégarni, dressez la liste de ce qui vous manque: basiques incontournables, pièces *trendy*... Apportez-la quand vous magasinerez; vous gagnerez du temps et vous éviterez de déambuler sans but – bien qu'en extase – dans les rayons.

3 SACHEZ QUAND CRAQUER

Respectez votre budget en investissant dans des vêtements de qualité que vous porterez fréquemment. Mais assouvissez quelques-uns de vos fantasmes de shopaholique: offrez-vous quelques trucs branchés à prix mini.

4 FAITES LE TEST À LA MAISON

Pensez à vérifier la politique de retour. Dans la plupart des boutiques, la norme est de deux semaines. Une fois revenue à la *casa*, passez vos achats au banc d'essai. Votre nouvelle jupe a beau être sublime, si vous ne pouvez pas l'assortir au reste de votre garde-robe, renvoyez-la d'où elle vient!

GUIDE D'ACHAT POUR

8 BASIQUES

Ces incontournables résisteront à l'épreuve du temps (et des modes). Intégrez-les sans tarder à votre garde-robe et vous ne direz plus jamais: «Je n'ai rien à me mettre!»

L'IMPER CLASSIQUE

Beau temps, mauvais temps, un bel imper structuré est toujours de sortie. Intemporel, chic et confo, il est votre meilleur compagnon à la mi-saison.

EN TEMPS NORMAL, ON MOURRAIT D'ENVIE DE VOIR LA TENUE QUI SE CACHE SOUS L'IMPER. MAIS LÀ, ON NE PEUT QUITTER DES YEUX CE TRENCH PLUS QUE PARFAIT.

Petits, les revers du col sont élégants. Larges, ils vous transforment en mystérieuse espionne britannique – surtout si vous portez de grosses lunettes noires!

Le classique: un imper croisé à double boutonnage. Il se porte boutonné et ceinturé. À noter: un modèle à boutonnage simple amincit, même lorsqu'il est porté ouvert.

Les passants de la ceinture doivent être à hauteur de votre propre taille, le but étant de dessiner votre silhouette en cintrant la partie la plus étroite de votre torse.

Les teintes neutres sont les plus polyvalentes. Méfiez-vous toutefois du kaki, qui verdit le teint de fin d'hiver. Préférez un beige chaud ou une couleur froide comme le gris pâle.

La longueur traditionnelle d'un imper? Juste au-dessous du genou. Le hic, c'est que ce n'est pas toujours flatteur. Et si vous essayiez un modèle plus court, qui fera jeune et chic?

LA PETITE ROBE NOIRE

Cintrée et sophistiquée, la petite robe noire ne vous quitte jamais, du boulot à la bamboula. Suffit de changer les chaussures.

Rien de moins sexy qu'une bretelle de soutien-gorge apparente ou qui joue à cache-cache! Optez pour un modèle qui couvre suffisamment vos épaules.

Si vous cherchez à dissimuler un ventre rond ou des bourrelets à la taille, les ruchés et les drapés sont vos meilleurs alliés.

Le modèle parfait devrait épouser vos courbes sans les mouler. Si le tissu tire à un endroit, prenez la taille au-dessus et faites faire les retouches nécessaires par une couturière.

La longueur au genou (ou légèrement au-dessus) est assez chic pour la journée et assez sexy pour la soirée.

LE PANNEAU TRANSPARENT AJOUTE JUSTE CE QU'IL FAUT DE CARACTÈRE À UNE PETITE ROBE NOIRE, AUTREMENT PLUTÔT SAGE.

ALEXA CHUNG

La petite robe noire sans manches est toujours de saison. Portez-la telle quelle quand le mercure est à son plus haut, ajoutez-y une veste ou un cardigan dès qu'il redescend.

PUISEZ VOTRE INSPIRATION CHEZ LES BOYS ET JOUEZ LA CARTE SEXY-CHIC EN PANTALON COBALT.
JESSICA BIEL

LE PANTALON HABILLÉ

La taille à hauteur du nombril met en valeur toutes les silhouettes, plus particulièrement quand elle est soulignée d'une fine ceinture. (Les modèles à taille haute sont difficiles à porter, et les tailles basses font ado.)

Choisissez un tissu extensible. Pour les pantalons plus chics, préférez un modèle à pli central, qui allonge visuellement les gambettes.

Avis à celles qui essaient de cacher un petit bedon ou des hanches généreuses: veillez à ce que les poches ne plissent pas, car cela ajouterait du volume là où vous n'en voulez surtout pas.

La bonne longueur? Un bord qui couvre juste la cheville et s'arrête sur le haut du pied. Idéal pour parader en ballerines ou en talons vertigineux.

Les pantalons *skinny* contrebalancent les blouses vaporeuses et se glissent facilement dans une paire de bottes – et ça, toutes les Québécoises l'apprécient.

Les jours où la jupe n'est pas de mise, le pantalon habillé s'avère un puissant allié. Il vous permet de farfouiller dans le vestiaire masculin tout en restant féminine à 100 %.

LE CHEMISIER BLANC

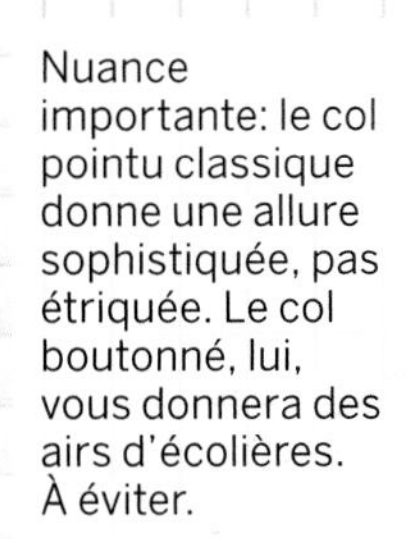

Nuance importante: le col pointu classique donne une allure sophistiquée, pas étriquée. Le col boutonné, lui, vous donnera des airs d'écolières. À éviter.

UN CHIC CHEMISIER BLANC COMME ÉLÉMENT DE BASE MET EN VALEUR UN TAILLEUR-PANTALON PROFILÉ. UN STYLISME QUI FRÔLE LA PERFECTION.

Regardez les boutons: leur nacre est-elle jolie? Ont-ils quatre trous? Sont-ils solidement cousus? C'est à ce genre de détails qu'on reconnaît la qualité.

JESSICA ALBA

Un poignet mousquetaire (à revers) ajoute une touche de raffinement et se fait plus relax dès qu'on le retrousse. Les manches du chemisier, comme celles de la veste, doivent s'arrêter à l'os du poignet.

Recherchez un tissu de première qualité qui ne se froisse pas facilement, ne se déforme pas au lavage et ne peluche pas.

La crème de la crème parmi les indispensables, c'est le chemisier blanc. Il est la base de mille et un looks, de celui du lundi matin à celui du samedi soir.

UNE JUPE CRAYON À BASQUE + UN TOP À MOTIF DE HIBOU: UN MARIAGE COMPLÈTEMENT FOU, APPROUVÉ PAR NOUS.
KATE BOSWORTH

LA JUPE CRAYON

Une taille haute joue les 2 en 1: elle souligne vos courbes quand vous rentrez votre haut à l'intérieur et fait office de gaine sous une blouse ou un t-shirt.

Choisissez un modèle à coutures plates pour éviter tout renflement autour du ventre.

Optez pour un vêtement doublé: la matière soyeuse empêche votre jupe de tourner et de plisser quand vous vous assoyez, marchez ou dansez.

Visez la longueur au genou. Légèrement au-dessus, elle s'invite à faire la fête, et en dessous, elle se fait sage comme une image.

Très polyvalente, elle épouse la silhouette comme une seconde peau. De jour, combinez-la à un chemisier chic. De soir, choisissez un top ornementé, et le tour est joué.

Ras-du-cou = une toile de fond parfaite pour un collier qui sort de l'ordinaire. Décolleté en V = va-va-voum!
UN CHARMANT CHANDAIL BRODÉ DE SEQUINS ET UNE JUPE CRAYON ASSORTIE = COMBO RÉUSSI!
Un imprimé classique ou des ornements discrets ajoutent un je-ne-sais-quoi qui attire l'œil.
LE PULL CHIC
Pour garder la ligne, comme dans «effet taille fine», optez pour une maille légère qui s'enfile par-dessus tout, du chemisier à la petite robe.
À la recherche de locataires à long terme pour votre garde-robe? Les modèles en laine poids plume et en cachemire sont d'excellents candidats.
OLIVIA WILDE
Seul à l'affiche ou accompagné d'une veste, le pull chic est à la fois d'une simplicité spectaculaire et d'un style indéniable. En bref, c'est un must.

VERSION GRAND LUXE, UNE PETITE ROBE NOIRE PORTÉE SOUS UN BLOUSON HARD. DU CHIC À EFFET CHOC!
TE MOSS
Il suffit d'un zip asymétrique pour que la veste de moto devienne la solution de remplacement *edgy* au blouson classique.
Moins il est ornementé, moins il risque de se démoder. Rivets et œillets métallisés ne sont pas à proscrire pour autant: ils ajoutent une touche glam.
Le cuir véritable dure beaucoup plus longtemps que le faux. Afin d'en conserver tout le lustre, n'hésitez pas à vous munir d'un protecteur et à rendre religieusement visite à votre nettoyeur.
Une coupe ajustée, en plus d'être cool, soulignera la féminité de votre silhouette tout en se mariant parfaitement à l'effet froufrou d'un haut ou d'une robe à volants.

LE PERFECTO

Le perfecto durcit le ton... avec élégance. C'est lui qui donne du «grrr» à l'uniforme des belles rebelles. En noir ou dans un coloris vif, à vous de choisir et de le porter avec attitude.

LE SKINNY FONCÉ
Le positionnement des poches arrière peut faire une grande différence sur votre silhouette, alors admirez-vous sous tous les angles.
LE JEAN SECONDE PEAU EST LE ROI DU JEU DES PROPORTIONS, TEL QU'ILLUSTRÉ AVEC CETTE BLOUSE AMPLE.
Choisissez le type de taille (haute, basse, ...) qui convient le mieux à votre silhouette.
Pour être confo au max, cherchez un modèle avec 2% d'élasthanne.
ROSIE HUNTINGTON-WHITELE
Glissé dans des bottes ou couplé à une paire de talons sexy, le *skinny* en jette!
Quand on désire un effet amincissant, plus c'est foncé, mieux c'est. Un bleu profond couvrira vos arrières plutôt que d'en accentuer les rondeurs.
«Ils sont partout: au bureau, au chalet, pour un premier rendez-vous... Votre panoplie denim devrait comprendre un mélange de coupes classiques et de modèles à la mode.»

Denim Donnant

Flatteur sur toutes les silhouettes, il sait se faire relax ou chic en s'associant à des hauts et à des chaussures de circonstance.

Objectif: confort. Arrêtez votre choix sur un modèle *boyfriend* un peu ample. Bien qu'il soit un habitué des ambiances décontractées, il peut aussi être de sortie.

Faites une mise à jour saisonnière et gardez un modèle tendance qui convient à votre style: imprimé, enduit, coloré, droit, ajusté, fuselé ou autre.

TENDANCE À PETIT PRIX

«Comme on se laisse toutes tenter parfois par un article branché, l'endroit idéal où craquer, c'est dans une des boutiques qui sont réputées pour leurs petits prix.»

1 Foncez sur ce qui est top tendance: imprimés audacieux, couleurs mode de la saison et détails *funky*.

---

2 Appliquez la politique du tout ou rien: si la mode est aux cols à paillettes, *go* pour le décolleté le plus strassé.

---

3 Ne vous préoccupez pas de la durée de vie de votre achat dernier cri: il a pour mission de puncher votre look en complétant vos basiques.

---

4 Misez sur les accessoires: c'est le moyen le plus facile de mettre une tenue à jour.

---

5 Dites oui aux chaussures à prix doux: pourquoi dilapider vos économies sur un modèle qui ne sera plus *hot* dans quelques mois?

ACHATS PLUS INVESTIS

«Investissez dans des basiques, ils vous le rendront bien. Après tout, une pièce branchée n'a d'éclat que sur une fantastique toile de fond.»

1 Optez pour des teintes neutres quand vous choisissez vos essentiels. Ils sont parfaits pour mettre en valeur les pièces en vogue.

---

2 Visez le long terme et choisissez des vêtements de bonne qualité, capables de supporter laveuse, sécheuse et toutes vos sorties sans se défraîchir.

---

3 Calculez le coût par utilisation, à savoir le prix d'un article divisé par le nombre de fois que vous le porterez. Le bon achat demande parfois d'allouer un budget spécial.

---

4 Préférez les modèles classiques. Ils auront toujours plus de valeur que la tendance, déjà prête à se démoder.

---

5 Investissez dans un manteau ou un trench à la coupe parfaite. Après tout, vous le porterez tous les jours, et un manteau mal taillé gâche un look à coup sûr.

COMMENT CHOISIR SES ACCESSOIRES COMME UNE STYLISTE

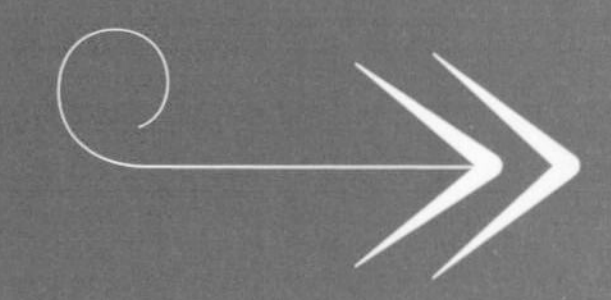

«Tout look qui se respecte exige son lot d'accessoires, car ce sont eux qui donnent la touche finale à l'ensemble. Il suffit parfois simplement d'enfiler un collier, une bague ou des escarpins pour passer de "bof..." à "wow".»

JULIA
RÉDACTRICE EN CHEF

Dans ce chapitre

DÉCOUVREZ COMMENT LES PROS ACCESSOIRISENT UNE TENUE AVEC BRIO

APPRENEZ À REVAMPER VOTRE LOOK GRÂCE À QUELQUES PIÈCES CLÉS

IDENTIFIEZ LES ESSENTIELS QU'IL FAUT AVOIR DANS SA GARDE-ROBE

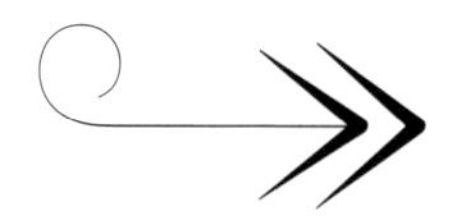

COORDONNER OU NON?

«Ce qu'on me demande le plus souvent, c'est s'il faut assortir les accessoires à sa tenue. Ma règle, c'est d'éviter "le petit kit". Ça semble trop réfléchi et ça gâche l'effet du look entier.»

CAROLYNE
STYLISTE

ASTUCES ACCESSOIRES

En règle générale, les accessoires se déclinent en quatre familles bien distinctes. Pour faire les bons choix, pigez vos items chouchous au sein d'une même famille. Pas de stress, pas besoin de coordonner couleurs et textures... Suivez ces conseils, et ce sera comme si Rachel Zoe avait signé votre look!

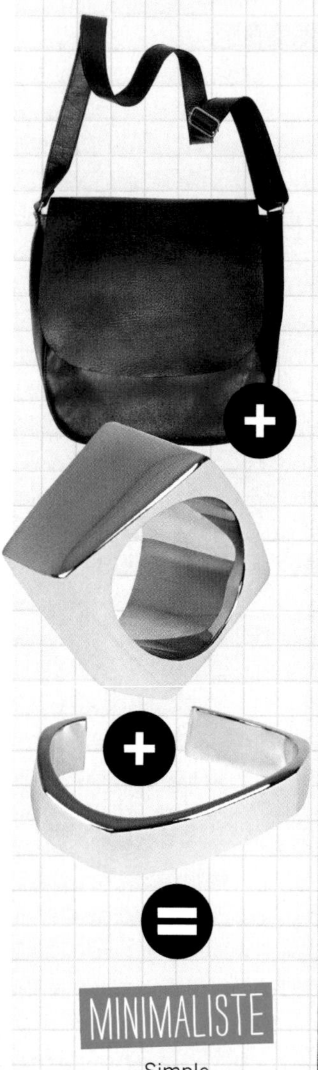

MINIMALISTE

Simple et moderne. Épuré, sans être traditionnel.

ÉCLECTIQUE

Coloris pimpants, pierres texturées, matières au fini naturel. Bref, du *funky* flamboyant à fond!

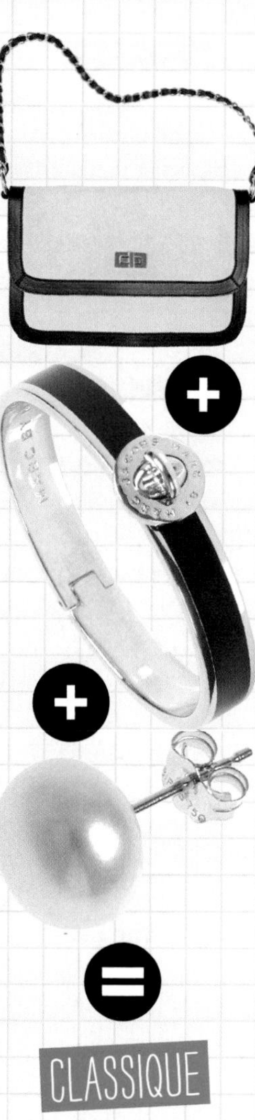

CLASSIQUE

Perles, diamants, argent et or. Les indémodables, toujours chic.

REBELLE CHIC

Cuir, rivets et look un peu androgyne. La parfaite punkette, quoi!

CLAUDE
CHEF
STYLISTE

DEUX, C'EST MIEUX

«Appliquez la règle du "deux sur quatre". Si vous hésitez entre quatre accessoires assez voyants – boucles d'oreilles, colliers, bracelets, bagues –, limitez-vous à deux. Ça permet de ne pas surcharger l'ensemble et de conserver un bel équilibre.»

DÉBAT SUR LES BAS

BAS NYLON VS COLLANTS

PERMIS

- Si l'environnement de travail l'exige.
- Si la robe arrive aux genoux, mais pas plus haut!
- Si l'invitation exige une tenue de soirée.

BAS NYLON

INTERDIT

- La bande opaque aux orteils: méga gaffe mode!
- Les bas déchirés à la Courtney Love.
- Ceux de couleur chair, sauf si vous êtes Kate Middleton.

- Si vous voulez ajouter une touche *funky* à un look simple et épuré.
- Si vous désirez passer du boulot à l'apéro avec style.
- Si la robe est courte: le collant est moins provocant qu'un bas translucide.

OLIVIA PALERMO

COLLANTS

INTERDIT

- La tenue «pull et collant»... sans jupe! Ce n'est pas un legging.
- Les collants opaques noirs avec des sandales à brides: chaussures fermées obligatoires!
- Le mariage (malheureux!) avec une robe super chic.

MICHÈLE
DIRECTRICE
MODE
CHAMP
DE VISION
«Qu'on ait
besoin
de lunettes ou
non, les jolies
montures sont
carrément
devenues
des accessoires
mode.»

Qu'elles vous aident à voir clair ou à filtrer les rayons solaires, les lunettes font maintenant partie intégrante d'un look tendance. Voici un petit guide rapide pour trouver la monture qui conviendra parfaitement à la forme de votre visage.

À RETENIR: ÉVITEZ LES BRANCHES TROP LARGES OU TROP ÉPAISSES, QUI ARRONDIRONT ENCORE PLUS VOTRE MINOIS.

LES SOLAIRES RECTANGULAIRES QUI DÉPASSENT LÉGÈREMENT DE CHAQUE CÔTÉ DU VISAGE FONT «FONDRE» LES RONDEURS.

ARRONDI

Vous avez un visage plutôt rond? Choisissez une **monture carrée** pour rétablir l'harmonie des proportions.

POUR QU'ON VOUS REGARDE DIRECTEMENT DANS LES YEUX, UNE MONTURE OVALE COLORÉE EST UNE EXCELLENTE IDÉE.

ANGULAIRE

Si votre mâchoire est plutôt carrée, optez pour des **lunettes à monture arrondie**, question d'équillibrer le tout.

TENEZ-VOUS LOIN DE TOUS LES ANGLES DROITS! VOTRE MEILLEUR CHOIX? DES LUNETTES RONDES.

AUX PETITS SOINS

«Quelques fois dans l'année, faites le tri dans votre lot d'accessoires. Brisés? Vous faites réparer. Démodés? Vous donnez au suivant.»

1 - Des bagues de métal ont terni ou viré au vert? Des colliers ont perdu billes ou pierres? À *Go*, dites-leur adieu. *GO*!

2 - Classez et rangez vos accessoires en fonction des saisons. La logique? Le sac en paille ne sert à rien en janvier et les écharpes de laine ne font pas très été.

3 - Entreposez vos bijoux précieux dans leur boîte d'origine. Ils resteront impec et ne s'égareront pas parmi les boucles d'oreilles de plastique!

4 - Cette bague n'est pas du toc? Prenez-en soin. Vous n'avez quand même pas cassé votre tirelire pour rien! Pourquoi ne pas passer chez le joaillier pour qu'il la fasse briller?

CAROLYNE
STYLISTE

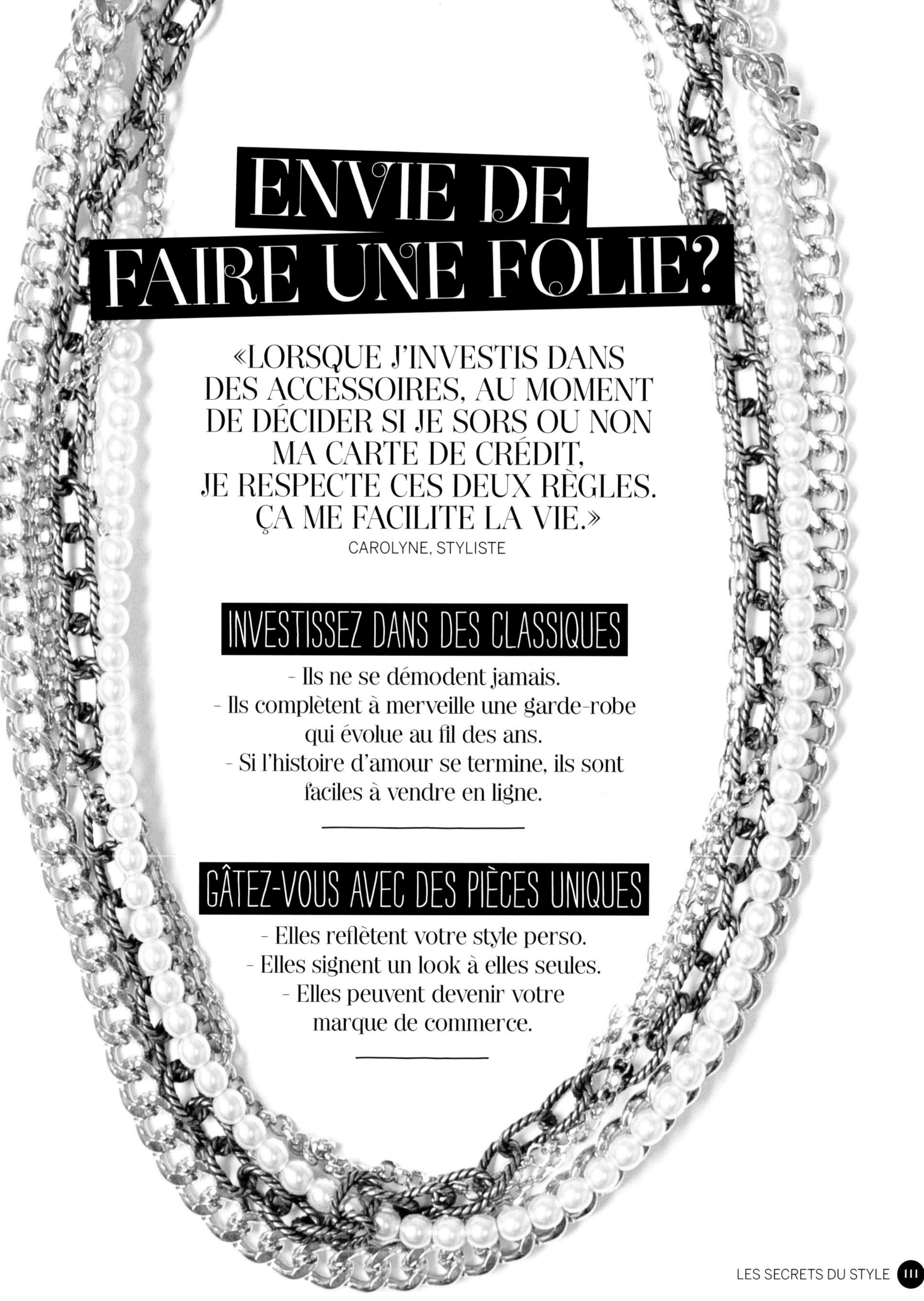

ENVIE DE FAIRE UNE FOLIE?

«LORSQUE J'INVESTIS DANS DES ACCESSOIRES, AU MOMENT DE DÉCIDER SI JE SORS OU NON MA CARTE DE CRÉDIT, JE RESPECTE CES DEUX RÈGLES. ÇA ME FACILITE LA VIE.»

CAROLYNE, STYLISTE

INVESTISSEZ DANS DES CLASSIQUES

- Ils ne se démodent jamais.
- Ils complètent à merveille une garde-robe qui évolue au fil des ans.
- Si l'histoire d'amour se termine, ils sont faciles à vendre en ligne.

GÂTEZ-VOUS AVEC DES PIÈCES UNIQUES

- Elles reflètent votre style perso.
- Elles signent un look à elles seules.
- Elles peuvent devenir votre marque de commerce.

DE CHIC À COOL
DES BOUCLES D'OREILLES ÉLÉGANTES AJOUTENT LA TOUCHE DE BLING QUI MANQUAIT.
UN SAC À BANDOULIÈRE, ET HOP! UNE ROBE VERY CHIC DEVIENT TOUT À COUP TRÈS RELAX.
L'ACCESSOIRE ULTIME DE LA FILLE COOL: DES BOTTES DE CUIR À L'ALLURE VINTAGE.

PETITS CHANGEMENTS, GRANDS EFFETS

Passer de relax à chic en un claquement de talons hauts? Rien de plus facile, lorsqu'on a les accessoires qu'il faut! Leçon de style en deux temps.

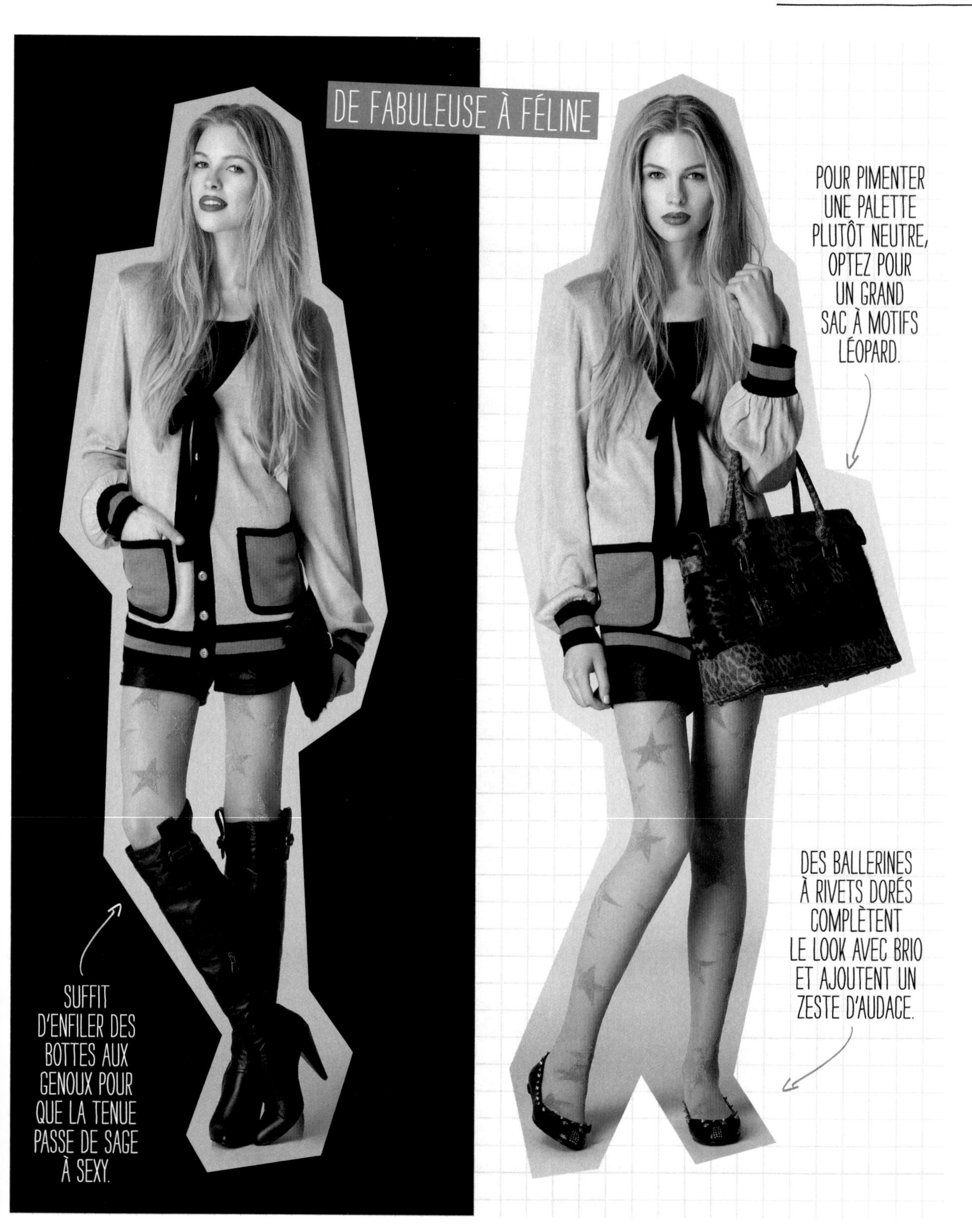
DE FABULEUSE À FÉLINE
POUR PIMENTER UNE PALETTE PLUTÔT NEUTRE, OPTEZ POUR UN GRAND SAC À MOTIFS LÉOPARD.
SUFFIT D'ENFILER DES BOTTES AUX GENOUX POUR QUE LA TENUE PASSE DE SAGE À SEXY.
DES BALLERINES À RIVETS DORÉS COMPLÈTENT LE LOOK AVEC BRIO ET AJOUTENT UN ZESTE D'AUDACE.

DE CLASSIQUE À BOHO
CHIC ET INTEMPOREL, UN SAC DE CUIR DE TEINTE NEUTRE S'ADAPTE À TOUTES LES CIRCONSTANCES.
POUR AUGMENTER DANGEREUSEMENT LE DEGRÉ DE STYLE (ET DE SENSUALITÉ) DE L'ENSEMBLE, ENFILEZ DES ESCARPINS À DÉCOUPES.
UNE ÉCHARPE EN CACHEMIRE VOUS MET SUBITO EN MODE CONFO-CHIC.
UNE LARGE CEINTURE À BOUCLE COMPLÈTE LA TOUCHE BOHO, EN PLUS DE SOULIGNER VOTRE TAILLE.

DE SAGE À SURPRENANTE
DES FLÂNEURS CLASSIQUES ET DES BAS NYLON DISCRETS. PARFAIT POUR LA RÉUNION DU MATIN AVEC LE *BOSS*.
BOOSTEZ LE VOLUME MODE AVEC UNE MONTRE SURDIMENSIONNÉE COMME CELLE DE VOTRE MEC TIENS!
DANS DES *SHOOTIES* HAUTEUR GRATTE-CIEL, VOUS PASSEREZ VITE DU BOULOT À L'APÉRO.

LES ESSENTIELS CHAUSSURES

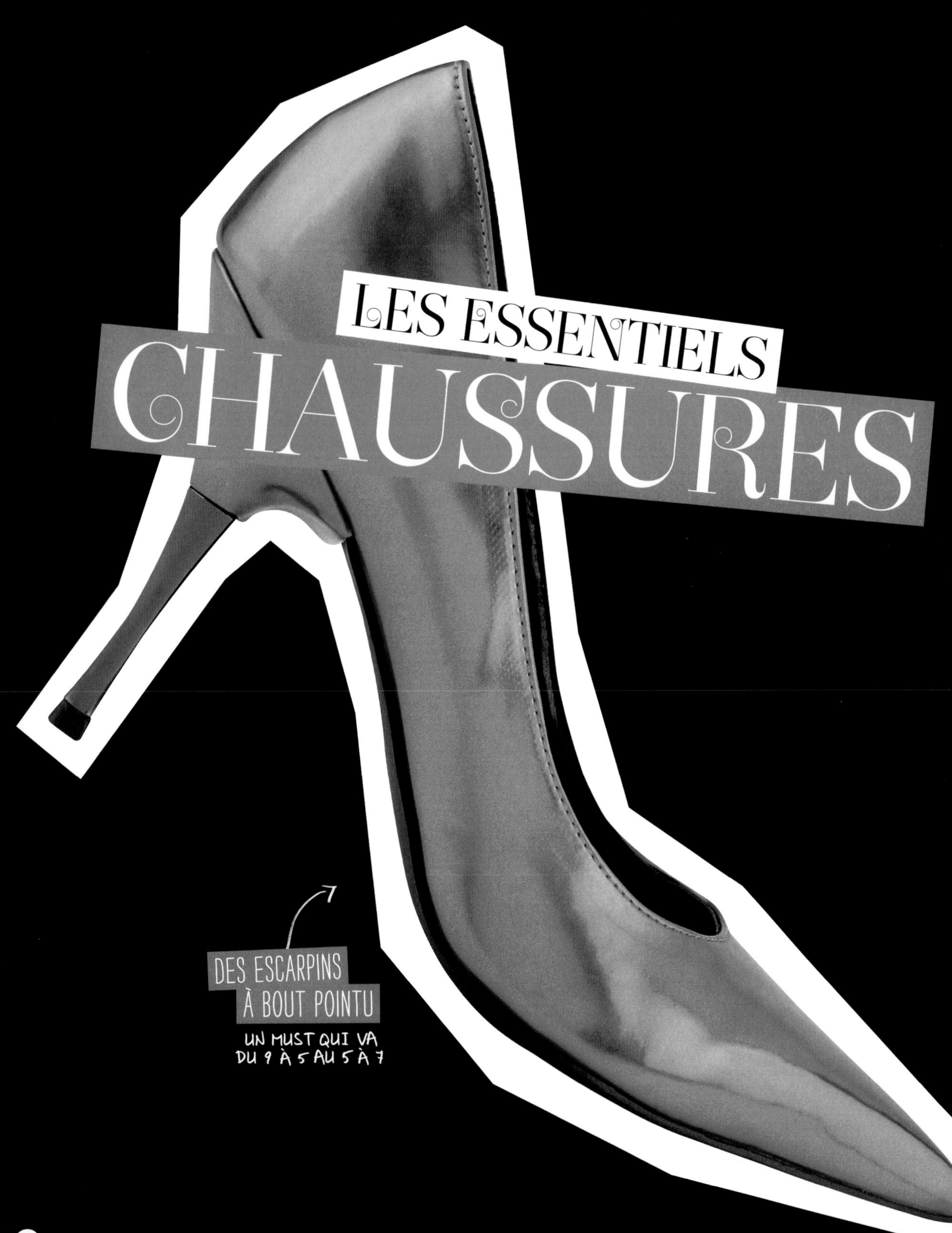

DES ESCARPINS À BOUT POINTU

UN MUST QUI VA DU 9 À 5 AU 5 À 7

DES BOTTILLONS À TALONS HAUTS
POLYVALENTS ET CONFO
DES BALLERINES
PAS BESOIN DE SOUFFRIR POUR ÊTRE BELLE
DES SANDALES SEXY
POUR LES SORTIES BRANCHÉES
NICOLE RICHIE
DES SEMELLES COMPENSÉES
POUR ÊTRE À LA FOIS AU TOP ET CONFO
AJOUTEZ DU PIQUANT À UNE TENUE PLUTÔT MINIMALISTE AVEC DES ESCARPINS À BOUT POINTU
DES ESPADRILLES FASHION
POUR LE TRAIN-TRAIN QUOTIDIEN

LES ESSENTIELS SACS

UN SAC EN CUIR
À BANDOULIÈRE

IDÉAL POUR
RANGER
LES COURSES

UNE POCHETTE CHIC
POUR L'HEURE DU COCKTAIL
UN CABAS EN CUIR STRUCTURÉ
CLASSIQUE ET PARFAIT POUR LE BOULOT
UN SAC RELAX POUR LE WEEK-END
POUR S'ÉQUIPER POUR UN SAMEDI BIEN BOOKÉ
CHIC, PRATIQUE ET TELLEMENT MIMI LE MINISAC
UN MINISAC À BANDOULIÈRE EN CHAÎNE
POUR DANSER TOUTE LA NUIT
DIANE KRUGER
UN SAC EN NYLON POUR VOYAGER
IMPERMÉABLE ET SUPER STYLÉ

LES ESSENTIELS BIJOUX

DES BRACELETS DE MÉTAL
POUR HABILLER LES POIGNETS
UN BRACELET CHAÎNE
IL S'AGENCE AVEC TOUT, TOUT, TOUT...
UNE BAGUE COCKTAIL BRILLANTE
QUE VOUS OSEREZ PORTER LE JOUR!
DES PENDANTS D'OREILLES ULTRA-GLAM
POUR AJOUTER UN PEU DE DRAME
DES BAGUES À SUPERPOSER
SUR UN DOIGT OU SUR PLUSIEURS À LA FOIS
BELLA THORNE
UNE ENFILADE DE BRACELETS CONSTRUIT À ELLE SEULE UN LOOK HOT
DE PETITES BOUCLES D'OREILLES BRILLANTES
INDÉMODABLES ET PASSE-PARTOUT

COMMENT S'HABILLER SELON L'OCCASION

«Brunch entre copines, soirée chic ou importante réunion au travail, à chaque occasion son code vestimentaire. L'essentiel pour avoir un look impec en toutes circonstances, c'est de savoir quand faire flasher ses plus beaux atours et quand la jouer plus discret.»

CLAUDE
CHEF
STYLISTE

Dans ce chapitre

APPRENEZ À DÉCODER CE QUI EST APPROPRIÉ À CHAQUE CIRCONSTANCE

MAÎTRISEZ LES TRUCS DE STYLE POUR LE BOULOT, LE WEEK-END OU UNE FÊTE

IDENTIFIEZ LES BASIQUES À POSSÉDER ET APPRENEZ À LES COMBINER POUR UN MAX D'EFFET

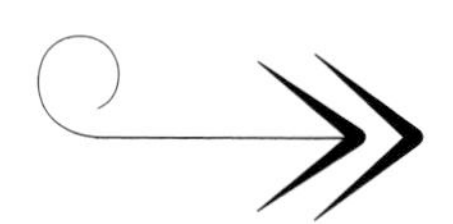

QUOI PORTER AU BOULOT

Peu importe où vous passez votre 9 à 5, démarrez la journée avec allure.

ENNUYEUX, LE TAILLEUR-PANTALON? OH QUE NON! KATIE HOLMES PROUVE QU'ON PEUT ROCKER LE TOUT EN COMBINANT VESTE BIEN COUPÉE, PANTALON À JAMBES LARGES ET DÉCOLLETÉ TOUT LÉGER.

CORPO CHIC

Apprenez qu'un code vestimentaire strict au bureau n'est pas un obstacle au style et au plaisir de jouer les fashionistas.

PERMIS

- **Les basiques sophistiqués,** comme des tailleurs (avec jupe ou pantalon, sur-mesure ou structurés), constituent la base d'une garde-robe d'affaires. Sélectionnez-les en pensant durabilité et versatilité.
- **L'élégance intemporelle** déclasse le tape-à-l'œil, *so* éphémère. Choisissez des morceaux dont la coupe, la couleur et l'étoffe passeront le test du temps et celui des tendances.
- **Un détail inusité** est garant d'un peu plus de style et de personnalité.

INTERDIT

- **Ce qui est trop osé.** Les jupes très courtes, décolletés plongeants et les vêtements trop moulants sont tout, sauf gagnants.
- **Les tissus mous et informes** comme le polaire et les grosses mailles ne passeront pas à la réunion du conseil d'administration. Vos vêtements doivent savoir se tenir, eux aussi!
- **Les matières abîmées et défraîchies** détruisent le look le plus impec. C'est «non» aux tricots qui peluchent, aux tissus élimés et aux chaussures éraflées!

OLGA KURYLENKO
REMPORTE LE TITRE
D'«EMPLOYÉE DU MOIS»
POUR SA ROBE
QUI TOMBE JUSTE
SOUS LE GENOU.

BELLE AU BOULOT

Ni guindée ni trop délurée. Optez plutôt pour des basiques pleins d'allure avec une touche tendance.

*

Boulot ne veut pas nécessairement dire* blah. *Vous pouvez oser le top coloré pourvu que l'ensemble reste de bon goût.

PERMIS

- **Posséder une tonne de tops** à agencer avec ses pantalons et jupes permet de créer une foule de tenues. L'idéal, c'est un ratio de trois hauts par pantalon (ou par jupe).
- **User d'accessoires «wow!»** pour augmenter le quotient mode d'un ensemble. Si le haut à paillettes est proscrit au boulot, le collier glam, lui, apporte la touche de bling dont vous avez envie.
- **Observez comment s'habille votre boss.** C'est le baromètre qui vous indiquera la limite en matière de longueur, d'imprimés, de couleurs.

INTERDIT

- **En faire trop,** ce qui révèle que vous passez plus de temps à vous préoccuper de votre apparence que de votre performance. Dans le doute, faites-vous plus discrète.
- **La tenue de cocktail à 9 h du mat'** peut laisser croire que vous comptez les heures jusque-là. Les robes coquettes, lèvres colorées et talons décorés ne sont pas défendus, mais bon, pas tous en même temps.
- **Un look trop relax** envoie un message négatif. Les jeans peuvent fonctionner, mais seulement avec une veste chic. Un chandail ample, pour sa part, doit être agencé à un pantalon élégant.

PERMIS

- **Les jeans bleu foncé ou noirs** sont maintenant acceptés dans les entreprises où l'ambiance est détendue. Légèrement délavés, ça passe, mais déchirés, ça non.
- **Les tissus extensibles et ouatés** devraient être portés à petites doses et dans des coupes et des couleurs qui suggèrent que vous privilégiez le confort, pas que vous allez au gym.
- **Le propre et le net,** ça va de soi. Mais soyons clairs: un chandail sport gris impeccable peut se porter au bureau, mais pas un chemisier blanc qui tire sur le gris.

INTERDIT

- **Les mauvais plis et les vêtements qui se désintègrent** doivent rester à la maison. Un chemisier de coton n'a pas besoin d'être amidonné, mais il doit au moins être repassé! En passant, le rasoir à peluches est un bon investissement.
- **Les baskets ne sont pas appropriées** au bureau, même si vous courez à droite et à gauche. Optez plutôt pour des chaussures sport en tissu ou en cuir.
- **Le look «comme à la maison».** La couverture pour frileuse, les pantoufles (et les pieds nus!) parce que vous avez mal au talon ou encore un chapeau parce que vous vous êtes battue avec le peigne sont hors de question.

TISSUS CONFOS ET COUPES RELAX NE DOIVENT JAMAIS VOUS DONNER L'AIR NÉGLIGÉ. LE PULL DE VANESSA HUDGENS, AGENCÉ À UN CHEMISIER EN JEANS ET À UN LEGGING NOIR, C'EST DÉCONTRACT MAIS STYLÉ.

CRÉATIVE COOL

Vous aimez tellement votre boulot que vous n'avez pas l'impression de travailler? Cool, mais pas question de laisser votre bon goût à la maison pour autant!

5 PIÈCES CLÉS POUR LE BOULOT

LA BLOUSE FLUIDE
GLISSÉE DANS UNE JUPE CRAYON OU PORTÉE AVEC UNE CEINTURE SUR DES PANTALONS CHICS.
LE SAC STRUCTURÉ
DEVRAIT ÊTRE ASSEZ SPACIEUX POUR TRANSPORTER VOTRE ORDI ET VOTRE ROUGE À LÈVRES, MAIS PAS TROP GRAND, SINON IL ÉCRASERA VOTRE SILHOUETTE.

LA VESTE CINTRÉE
C'EST UN CLASSIQUE, MAIS EN VERSION COULEUR, ELLE FAIT GRIMPER LE FACTEUR FUN.
LA JUPE CRAYON
EST UN MUST EN TOUTE SAISON. UN MODÈLE À MOTIFS SERA TELLEMENT FACILE À AGENCER!
LES ESCARPINS À BOUT FERMÉ
VOUS MÈNERONT DU BOULOT AU RESTO SANS TRÉBUCHER.

QUOI PORTER LE WEEK-END

Les fins de semaine sont faites pour décrocher, mais votre sens du style ne tombe pas en vacances! Voici l'art d'être relax en beauté.

ZOE SALDANA AFFICHE TOUJOURS UN STYLE IMPEC. ICI, ELLE PORTE UN BLOUSON COURT SUR DES PIÈCES ÉLÉGANTES, TOUJOURS À LA PAGE EN NOIR ET BLANC.

CONFO FUNKY

La journée s'annonce légère, et vous voulez que votre style reste frais et unique pour l'occasion. À vos marques, prête? Éclatez-vous!

Étoffez votre look avec un élément clé: une veste structurée donnera du caractère au duo jean et t-shirt.

PERMIS

- **Les accessoires «dure à cuire»** expriment votre côté rebelle. Pensez aux bracelets manchettes en argent, à la ceinture à large boucle ou à la montre d'homme.
- **Le sexy bien dosé.** Une minijupe portée sur des collants opaques, agencée à un haut à capuchon et des bottes à talons plats, c'est super… et jamais vulgaire.
- **Les chaussures originales** mais pratiques indiquent que vous êtes prête pour l'aventure. Des talons compensés sont une excellente façon de rehausser votre look.

INTERDIT

- **Des vêtements trop amples** laissent penser que vous voulez camoufler trop de défauts. Essayez plutôt de faire contraster les volumes, pour obtenir un look relax mais stylé.
- **Les vêtements usés.** Ce n'est pas ce que les modeuses veulent dire par «déconstruit». Oui, des jeans usés sont adaptés aux moments relax, mais pas avec une chemise effilochée et des bottes trouées.
- **Une palette trop neutre** affadit votre look. Ajoutez une touche de couleur vive grâce à une chemise portée sous un manteau cool, ou à un sac à main qui a du *punch*.

CHANDAIL DOUILLET, SKINNY FONCÉ ET BOTTILLONS À TALONS COMPENSÉS: HAYDEN PANETTIERE ADOPTE LE LOOK CONFO MAIS BEAU.

COMPLÈTEMENT RELAX

Votre mandat, quand vous êtes en vacances? Zen en dedans, chic en dehors.

Vos basiques chics peuvent passer aussi en mode relax: roulez ce jean skinny indigo, enfilez cette montre de luxe et dénouez légèrement les lacets de vos belles bottines tendance.

PERMIS

- **Les couleurs vives et les imprimés** qui sont *too much* pour le boulot seront parfaits le week-end venu.
- **Vous voulez vous exprimer** avec ce t-shirt à message ou votre sac à main fluo impossible à porter au bureau? Gardez-le pour le souper de famille!
- **Les combos inusités,** comme une veste en satin – trop habillée la plupart du temps – sur un jean boyfriend et un t-shirt méritent un essai les jours de congé.

INTERDIT

- **L'allure trop décontract.** Joggings, chandail à capuchon et baskets donnent l'impression que vous vous rendez au cours de Spinning. Optez plutôt pour le kit prêt-pour-le-brunch: leggings colorés, chandail ample et ballerines à motifs.
- **Les fringues usées** de la tête aux pieds... Ça fait pitié. Ajoutez-y du chic: les jeans délavés sont super sous un haut vaporeux, alors que des ballerines d'allure vintage donneront un look branché à votre petite robe.
- **Trop de nuances de gris** vous donneront un air déprimé, certainement pas décontracté. La couleur, c'est bon pour le moral!

PERMIS

- **La touche luxe,** que ce soit une veste dans une matière chic (tweed, velours, paillettes) ou une blouse en satin. Un glam instantané.
- **Une coupe soignée et structurée** est essentielle pour au moins un des éléments de votre tenue. Une veste en jean n'est fabuleuse que si elle vous va à la perfection. Même chose pour un pantalon de coupe masculine qui épouse vos courbes.
- **Des accessoires raffinés** boostent le style d'une tenue décontractée. Suffit d'un fourre-tout de peau souple et de ballerines en cuir verni pour donner le ton à un t-shirt de coton et à un jean tout simple.

INTERDIT

- **Porter les vêtements du bureau le week-end,** c'est loin d'être gagnant. Votre veste de tailleur noir avec des jeans, bof... Un blouson en brocart? Bingo!
- **Les morceaux trop chics** sont difficiles à agencer. Un boléro pailleté avec des jeans, c'est cool, mais pas une robe à paillettes sous une veste en jean. Le glamour se consomme à petites doses...
- **Miser uniquement sur des chaussures tendance.** Oui, les talons donneront du *oomph* à votre tenue – s'ils ne sont pas la seule pièce chic de l'ensemble!

OLIVIA PALERMO PROUVE QU'UN SIMPLE CHEMISIER BLANC CONSTITUE UNE SUBLIME TOILE DE FOND POUR UNE VESTE À PAILLETTES.

ÉLÉGANTE DÉCONTRACT

Non, ce n'est pas une contradiction. Apprenez à équilibrer éléments relax et chics pour créer des tenues passe-partout qui vous mèneront du brunch au spectacle de ballet en passant par le souper barbecue.

LE HAUT À RAYURES
DANS UN TRICOT LÉGER OU EN JERSEY. TOP PORTÉ SEUL OU SOUS UN BLAZER.
5 PIÈCES CLÉS POUR S'AMUSER
LE JEAN SKINNY
LE MEILLEUR CHOIX : CEUX DONT LA TEINTE VA DE FONCÉE À LÉGÈREMENT DÉLAVÉE.
LES BALLERINES
TRÔNENT AU SOMMET DE NOTRE LISTE D'ARTICLES CONFOS MAIS CLASSIQUES.

LA VESTE EN CUIR DE COULEUR VIVE

SE RÉVÈLE PLUS COOL QUE JAMAIS, QUELLE QUE SOIT LA COUPE.

UN SAC SOUPLE EN SIMILICUIR

ANNONCE LE WEEK-END ET DES ESCAPADES EN PERSPECTIVE!

QUOI PORTER EN SOIRÉE

La petite robe noire ne devrait pas monopoliser les droits de sortie. Testez différents looks, dosez les longueurs et la quantité de bling et préparez-vous à faire tourner les têtes.

Le code vestimentaire décodé

TENUE DE VILLE
COPIEZ DIANE KRUGER ET PIMENTEZ VOTRE LOOK AVEC DES CHAUSSURES ET UNE CEINTURE DE COULEUR HOT.

TENUE DE COCKTAIL
ROSIE HUNTINGTON-WHITELEY EST SUBLIME DANS UNE ROBE BUSTIER SANGLÉE D'UNE ÉTROITE CEINTURE NOIRE PORTÉE AVEC DES ESCARPINS BLANCS SIMPLISSIMES.

TENUE DE SOIRÉE
UN LOOK DE SOIRÉE COMME ON LES AIME: L'ENSEMBLE NOIR ET BLANC DE JENNIFER LAWRENCE EST FÉMININ ET SUPER CHIC. LA GRANDE CLASSE, QUOI.

Pour les 5 à 7 professionnels, conservez votre tenue de boulot puisque vous représentez toujours votre entreprise. Mais une dose de fantaisie ne vous fera pas de tort.

- Usez des mêmes critères que durant le 9 à 5 pour la coupe, la longueur et le décolleté.
- Préférez des matières et des finis un peu plus luxueux qu'à l'habitude afin de créer un look plus habillé.
- À l'aide d'accessoires recherchés, composez-vous une allure qui sort de l'ordinaire.

Cocktail comme dans «robe de cocktail»... faite pour l'occasion. Le reste est à votre discrétion.

- Bien que la norme soit à la robe courte, un modèle fourreau demeure un excellent choix, qui conviendra aussi bien à un dîner officiel qu'à une sortie funky: tout dépend de la coupe, de la matière, de l'imprimé et des détails.
- Les accessoires jouent ici un rôle primordial: la pochette est de bon goût alors que le fourre-tout est à exclure.
- Les talons sont chaudement recommandés. Si vous préférez une chaussure plate, elle doit être vraiment extra!

Ça, c'est l'occasion de vous mettre sur votre 31. Vous devez paraître hors contexte dans la rue, et faire sensation dans le métro. Assumez votre look!

- Une tenue de soirée est habituellement longue. Attention! Tenez-vous loin de la robe de bal de Cendrillon – totalement déplacée ici.
- Sortez le bling. Ce genre d'occasion exige des bijoux scintillants, une pochette pailletée et des chaussures éblouissantes.
- Si c'est de saison, sortez votre étole de (fausse) fourrure vintage.

JAIME KING FAIT
LA PREUVE QU'ON PEUT
COUPER LE SOUFFLE,
MÊME COUVERTE
DE LA TÊTE AUX PIEDS,
AVEC UNE LONGUE ROBE
ÉCARLATE ET QUELQUES
ACCESSOIRES
CLASSE, OF COURSE.

LA FONCTION OFFICIELLE

Vous avez toujours rêvé d'être une princesse et votre bon génie vous a entendue. Robe somptueuse, chaussures sublimes, bling de luxe... Vivez à fond votre conte de fées!

Si les robes courtes se qualifient maintenant comme tenues de soirée formelles, encore faut-il que la coupe et le tissu soient choisis en conséquence. Dernier conseil, investissez aussi dans des sous-vêtements gainants. À vos talons aiguilles, et en piste!

- **Montrer de la peau** grâce à une fente prononcée, un décolleté vertigineux ou un dos nu. Les trois en même temps? Vulgaire.
- **Les tissus chics et chers** appellent le glamour. Pensez aux velours, dentelle, satin, paillettes et crêpe... Une robe en jersey de bonne qualité est une option, mais sachez qu'elle révélera vos petits défauts.
- **Les accessoires luxueux** ajoutent de la magnificence et dévoilent votre personnalité. Une minaudière et des sandales à lanières ornées de pierres feront l'affaire, tout comme des escarpins classiques et une pochette simplissime.

INTERDIT

- **S'habiller comme pour un bal de finissants.** Optez pour une robe d'adulte: un fourreau noir pour un look chic décontracté, ou un morceau punché orné de volants, pour créer un max d'effet.
- **Les chaussures de bureau.** S'ils s'agencent bien avec un tailleur, ils ne sont pas assez élégants pour cette occasion. Des talons hauts classiques feront l'affaire s'ils sont impecs.
- **Les vêtements mal ajustés...** Passer son temps à remonter un bustier ou une bretelle qui glisse peut gâcher votre soirée. Si nécessaire, investissez dans du ruban adhésif conçu exprès pour éviter ce genre de situation.

PERMIS

- **Les coupes et les tissus spectaculaires** *rockent* un look urbain! Tentez une silhouette audacieuse ou une matière inusitée – mais pas les deux.
- **Les associations créatives:** un chemisier classique en dentelle et une jupe en cuir, une veste de smoking sur une jupe ample volantée créeront un max d'effet.
- **Les accessoires audacieux,** pour parfaire le look. Dites «oui» aux chaussures ornées de fleurs en cuir verni ou aux boucles d'oreilles pendeloques ouvragées. Limite: deux accessoires par tenue.

INTERDIT

- **Envoyer un message ambigu,** genre incarner les princesses gothiques perdues dans l'espace ou encore les femmes fatales avec une touche boho.
- **Revamper une robe ordinaire** avec des chaussures spectaculaires, un sac raffiné et de nombreux bijoux n'est pas synonyme d'élégance. Si votre budget est limité, investissez plutôt dans une robe de soirée classique que vous pourrez porter le jour sous une veste avec des ballerines.
- **Les vêtements de vacances portés en ville** font partie des faux pas. Les robes de coton sont parfaites pour une fête sur la plage, pas pour une virée dans un quartier huppé.

BLAKE LIVELY MARQUE ENCORE DES POINTS. CETTE ROBE BOURGOGNE BRILLANTE EST HALLUCINANTE ET LES BIJOUX ANNONCENT UNE FOLLE SOIRÉE.

SOIRÉE ENTRE FILLES

C'est le temps de s'éclater, et surtout d'épater! Ici, la folie est permise – et le champagne aussi! Allez, la nuit vous appartient.

UNE ROBE DE COCKTAIL PÉTILLANTE
ET POP! QUE LA FÊTE COMMENCE!
5 PIÈCES CLÉS POUR FAIRE LA FÊTE
LES CHAUSSURES SEXY MÉTALLISÉES
C'EST AUDACIEUX ET TOUJOURS TENDANCE.

LES BIJOUX BRILLANTS

DONNENT DU GLAM À N'IMPORTE QUEL ENSEMBLE.

LE TOP ENJOLIVÉ

AVEC DES JEANS ET DES SUPER TALONS : VOUS VOILÀ SUR TOUTES LES LISTES VIP.

LA POCHETTE BIJOUTÉE

FAIT GRIMPER LE FACTEUR FABULEUSE DE TOUTE TENUE.

EN CONCLUSION

LE STYLE – À LA VIE À LA MODE

Vous voilà maintenant armée de 75 années d'expérience mode grâce à l'expertise collective des pros de LOULOU. Votre mission? Découvrir et raffiner votre style perso sans crainte, en plus de savoir comment shopper comme une pro.

Je sais que la tâche peut paraître immense. Tous les jours, en tant que rédac en chef, je dois sélectionner et approuver des items mode. Oui, plaisant, mais tout de même exigeant. Les sources d'inspiration du style viennent de partout, des sites de shopping en ligne aux blogues de *street style*. Alors, comment savoir par où commencer? Je partage votre nervosité.

Souvenez-vous que l'étape la plus importante dans la création de votre style, c'est d'avoir du plaisir. Oui, les critiques existent, mais ne les laissez pas vous influencer, car si le Web et Instagram nous ont bien appris quelque chose, c'est que le style est sans limites.

La marche à suivre: déterminez ce que vous aimez, apprenez ce qui met en valeur votre silhouette et suivez quelques règles de base, histoire d'avoir un look complètement fou et complètement VOUS.

Et parce qu'une fille a le droit de changer d'idée, si vous n'êtes pas super confo ou si l'inspiration vient à manquer, allez hop! changez tout ça! Oui, on aimerait toutes se forger un look signature à la Jackie O. ou rocker une attitude et une garde-robe top tendance à la Kate Moss. Et, si dans la vraie vie, bébé, boulot ou budget vous demande de changer vos habitudes, ce n'est qu'un nouveau départ.

Alors servez-vous de ce livre. Il sera toujours là pour vous guider dans toutes ces étapes. J'espère que nos conseils vous feront plaisir – autant que nous en avons eu à les réunir!

Julia, rédactrice en chef

LES RÈGLES D'OR

Puisque les paroles s'envolent, mais que les habits restent, voici encore quelques petits mots de sagesse de la part de l'équipe mode de LOULOU.

CHOISISSEZ LES VÊTEMENTS APPROPRIÉS À CHAQUE OCCASION.

N'EN FAITES PAS TROP. EN CAS DE DOUTE, RAPPELEZ-VOUS QUE LA MODÉRATION A BIEN MEILLEUR GOÛT.

DES SOUS-VÊTEMENTS ADÉQUATS CONSTITUENT LA BASE D'UNE TENUE SENSATIONNELLE.

RELAX NE VEUT PAS DIRE NÉGLIGÉ. UNE PETITE TOUCHE DE FINITION, C'EST TOUJOURS PAYANT.

LES «PANTALONS DE JOGGING», C'EST NON. POINT À LA LIGNE.

JULIA CYBORAN
RÉDACTRICE EN CHEF

«Ne prenez pas tout au sérieux. Amusez-vous, expérimentez et ne sous-estimez jamais le pouvoir d'une bonne séance de shopping thérapeutique.»

MUSES MODE

ERIN WASSON
LA TOP DEVENUE DESIGNER A TOUJOURS UN FACTEUR COOL DANS SON LOOK.

JULIA RESTOIN ROITFELD
EN PLUS DE PARTAGER LE MÊME PRÉNOM, J'AIMERAIS TELLEMENT PARTAGER SA GARDE-ROBE!

KATE BOSWORTH
L'ACTRICE SAIT PORTER DES LABELS DE LUXE ET S'INSPIRER DES PASSERELLES, SANS JAMAIS PERDRE SON STYLE PERSO: MI-MINIMALISTE, MI-CALIFORNIA COOL.

CLAUDE LAFRAMBOISE
CHEF STYLISTE

«Une bonne couturière est un aussi bon contact qu'un bon coiffeur. Beaucoup pensent que les vêtements sont conçus pour être de la bonne taille dès qu'on les essaie. On le sait, ce n'est pas toujours le cas, peu importe sa silhouette. Le secret? Faire ajuster ses pièces.»

GWYNETH PALTROW
ELLE SAIT ADOPTER LES TENDANCES AVEC SIMPLICITÉ ET BON GOÛT ET EST UN EXEMPLE RAFRAÎCHISSANT D'ANTI-BLING HOLLYWOODIEN.
CHARLOTTE CASIRAGHI
C'EST LA QUINTESSENCE DE LA PRINCESSE MODERNE, À LA FOIS CLASSE ET NATURELLE.
JENNA LYONS
MON IDOLE! PARCE QU'ELLE EST LA MEILLEURE AMBASSADRICE DU STYLE QU'ELLE PROPOSE CHEZ J.CREW: UN MÉLANGE DE CLASSICISME ET D'ORIGINALITÉ SERVI À LA SAUCE MODERNE.
MUSES MODE

MICHÈLE MAYRAND
DIRECTRICE MODE

«N'oubliez jamais que le mauvais goût pour une personne peut être le sommet du chic pour une autre. Les extrémistes du style ultime, très peu pour moi. J'apprécie tout autant une Anna Dello Russo fringuée comme un arbre de Noël qu'une Emmanuelle Alt en jean et perfecto noirs.»

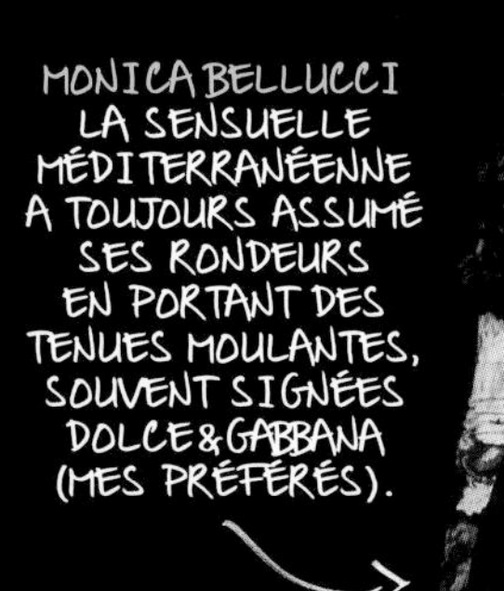

MONICA BELLUCCI
LA SENSUELLE MÉDITERRANÉENNE A TOUJOURS ASSUMÉ SES RONDEURS EN PORTANT DES TENUES MOULANTES, SOUVENT SIGNÉES DOLCE&GABBANA (MES PRÉFÉRÉS).

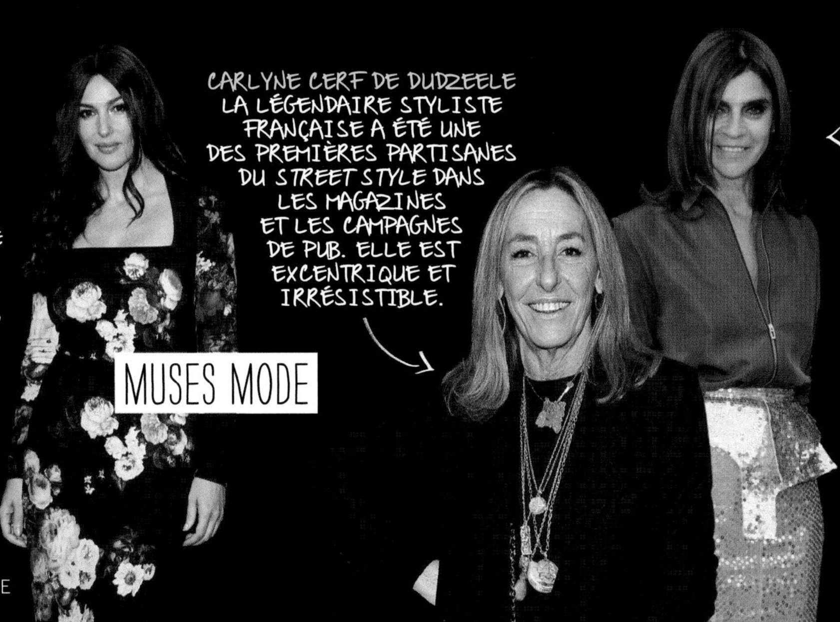

MUSES MODE

CARLYNE CERF DE DUDZEELE
LA LÉGENDAIRE STYLISTE FRANÇAISE A ÉTÉ UNE DES PREMIÈRES PARTISANES DU *STREET STYLE* DANS LES MAGAZINES ET LES CAMPAGNES DE PUB. ELLE EST EXCENTRIQUE ET IRRÉSISTIBLE.

CARINE ROITFELD
ELLE A SU RENDRE SEXY COMME JAMAIS LA JUPE CRAYON, LE MAQUILLAGE SMOKY ET LES TALONS DE 15 CM. UNE ÉLÉGANCE NATURELLE ET UN SENS BRILLANT DU DÉCALÉ.

«Mixez! N'ayez pas peur de mélanger vos pièces couture avec vos items plus tendance. Les stars le font tout le temps!»

LOUISE ROE
PAS BESOIN DE STYLISTE: C'EST SON BOULOT. ELLE EST PÉTILLANTE, SUPER TENDANCE, ET JE VEUX SA GARDE-ROBE.
SOLANGE KNOWLES
ELLE N'A PEUR DE RIEN: ELLE OSE LES COULEURS VIVES ET MÉLANGE LES IMPRIMÉS À MERVEILLE.
ASHLEY MADEKWE
J'AIME SON CÔTÉ CAMÉLÉON. ELLE PEUT PORTER NON SEULEMENT DES TRUCS TRÈS CHICS, MAIS AUSSI DES LOOKS TRÈS STREET.
MUSES MODE

ROSALIE GRANGER
RESPONSABLE MODE WEB

«Essayez toutes les tendances, même celles qui vous rebutent; peut-être que ce ne sera pas concluant: la perfection n'existe pas. Trouver son style, c'est un travail constant et c'est l'occasion idéale de se découvrir soi-même, de devenir créative et de pousser ses limites.»

MIROSLAVA DUMA
POUR SA MODERNITÉ (ET SES ESSAIS-ERREURS).
BRIGITTE BARDOT
DANS LES ANNÉES 50, POUR SON CÔTÉ LUDIQUE ET ENFANTIN.
FRANÇOISE HARDY
POUR SA CAPACITÉ DE RESTER SI FÉMININE DANS DES LOOKS MASCULINS.
MUSES MODE

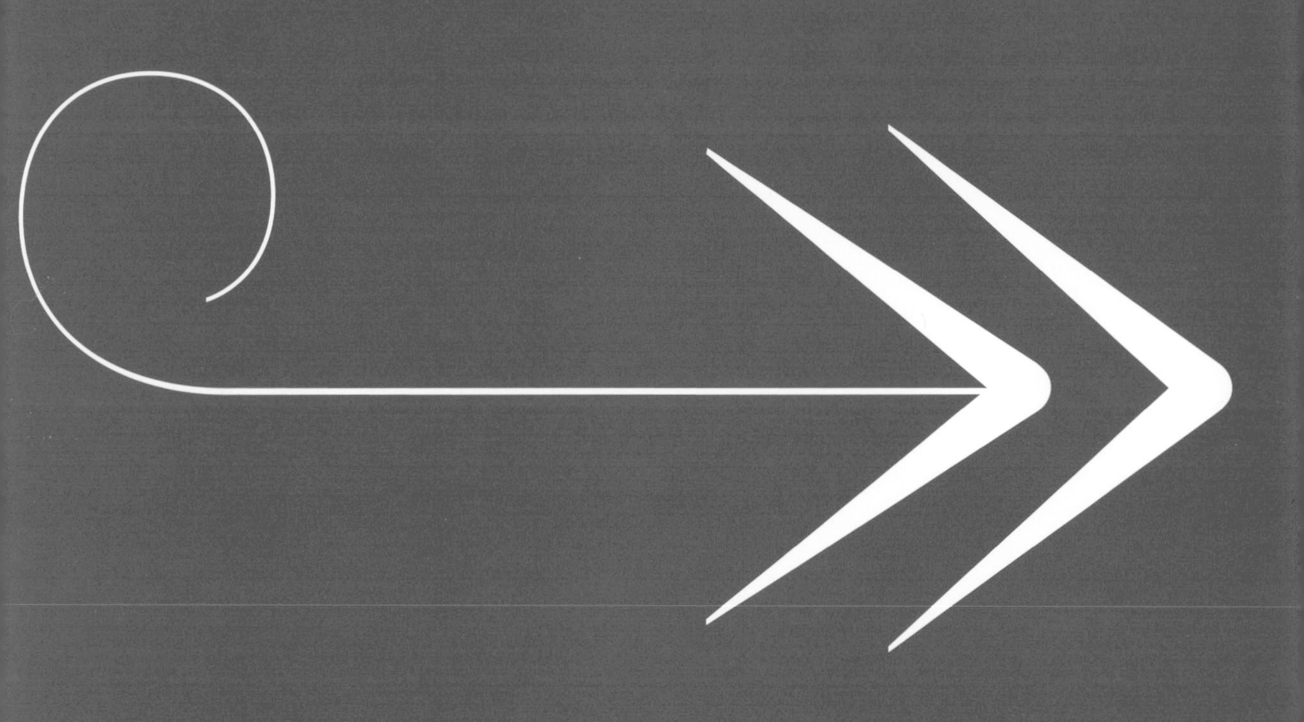

CRÉDITS PHOTOS

LOULOU aimerait remercier tous ceux sans qui la production de ce livre n'aurait pu être possible.

Nos infatigables rédacteurs et talentueux traducteurs: Catherine Connes, Jesse Corbeil, Camille Finnegan, Caroline Fortin, Claude Laframboise, Christine Laroche, Sylvie Michelon, Emilie Villeneuve et Janna Zittrer.

Nos réviseurs et correcteurs à l'œil de lynx: Marco Chioini, Katya Epstein, Jane Fielding, Julie Lafrance, Robert Ronald, Francine Tardif.

Nos merveilles multitâches: Josianne de la Sablonnière, Shannie Drapeau, Andréanne Lafond, Gabrielle Lafond Chenail et Adam Scotti.

PAGE COUVERTURE

Photo: Geneviève Charbonneau.
Mannequin: Nicolette (Elmer Olsen Models).

PRÉFACE

P. 9 Geneviève Charbonneau (J. Cyboran).

P. 11 Geneviève Charbonneau (M. Mayrand), Maude Chauvin (C. Laframboise).

P. 12 Maude Chauvin (C. Brown, R. Granger).

CHAPITRE 1

P. 16 Geneviève Charbonneau (J. Cyboran).

P. 17 Geneviève Charbonneau.
Mannequin: Devon (Plutino Group).

P. 18 Gamma-Keystone via Getty Images (R. Schneider), Getty Images (I. Broussard et C. Julien et E. Watson et S. Coppola et T. Fariga et K. Chang), Getty Images for EJAF (M. Cyrus et K. Osbourne), Getty Images for H&M (D. Kruger), Warner Bros. Pictures (*Gatsby le Magnifique*), WireImage (*Sex and the City, le film*).

P. 19 French Select/Getty Images (J. Chastain and K. Lagerfeld), Gamma-Rapho via Getty Images (défilé), Getty Images (M. Duma, C. Leyland et L. Medine et B. Boy et R. Neely, K. Kurkova), Getty Images/De Agostini (*Rhythm of Black Lines*), Getty Images/LatinContent (Graffiti), Imaxtree (C. Ferragni), WireImage (A. Song).

P. 20 Maude Chauvin (C. Laframboise).

P. 22 WireImage (I. Lucas).

P. 23 FilmMagic (F. Welch), FilmMagic/BuzzFoto (R. Zoe), Getty Images (T. Getty).

P. 24 FilmMagic (S. Johansson).

P. 25 FilmMagic (K. Perry), Getty Images (R. Hayworth, A. Heard).

P. 26 WireImage (G. Coppola).

P. 27 Getty Images (M. Dietrich, L. Doillon), Getty Images for Burberry (C. Poésy).

P. 28 Getty Images (M. Missoni).

P. 29 Getty Images (S. Knowles), NY Daily News via Getty Images (Madonna), WireImage (D. Kruger).

P. 30 Getty Images (J. Lopez).

P. 31 Getty Images (S. Loren), WireImage (A. Lima, S. Vergara).

P. 32 Getty Images (L. Sobieski).

P. 33 FilmMagic (R. Mara), Getty Images (A. Hepburn, T. Swinton).

P. 34 Getty Images (K. Lanphear).

P. 35 FilmMagic/BuzzFoto (J. Jett), Getty Images (M. Cyrus), WireImage (G. Stefani).

P. 36 FilmMagic (O. Palermo).

P. 37 Getty Images (G. Kelly), Getty Images/AFP (C. Casiraghi), WireImage (G. Paltrow).

CHAPITRE 2

P. 40 Maude Chauvin (R. Granger).

P. 41 Geneviève Charbonneau.
Mannequin: Rebecca (Folio Montreal).

P. 42 Geneviève Charbonneau (J. Cyboran).

P. 46 Getty Images (J. Love Hewitt).

P. 47 FilmMagic (M. Trachtenberg), Getty Images (D. Lovato), Getty Images for MTV (A. Keys).

P. 52 WireImage (K. Kardashian).

P. 53 Getty Images for Weight Watchers (J. Hudson), WireImage (E. Mendes, K. Perry).

P. 58 FilmMagic (G. Paltrow).

P. 59 Getty Images (C. Theron), WireImage (K. Holmes, K. Middleton).

P. 64 FilmMagic (C. Hendricks).

P. 65 FilmMagic (I. Trump), Getty Images for IFP (L. Stone), WireImage (J. Simpson).

P. 70 FilmMagic (C. Diaz).

P. 71 FilmMagic (J. Hough, K. Rowland), WireImage (M. Kunis).

P. 76 Getty Images (A. Jolie).

P. 77 Getty Images (K. Osbourne, A. Riley), WireImage (K. McPhee).

CHAPITRE 3

P. 84 Geneviève Charbonneau (M. Mayrand).

P. 85 Geneviève Charbonneau.
Mannequin: Leanne Proctor (Elmer Olsen Models).

P. 86 Maude Chauvin (R. Granger).

P. 89 WireImage (S. Miller).

P. 90 Getty Images (A. Chung).

P. 91 WireImage (J. Biel).

P. 92 Getty Images/Bertrand Rindoff (J. Alba).

P. 93 French Select/Getty Images (K. Bosworth).

P. 94 FilmMagic (O. Wilde).

P. 95 FilmMagic (K. Moss).

P. 96 FilmMagic (R. Huntington-Whiteley).

P. 97 Getty Images (K. Kurkova), Imaxtree (street styles).

P. 98 Maude Chauvin (C. Brown).

P. 99 Maude Chauvin (C. Laframboise).

CHAPITRE 4

P. 102 Geneviève Charbonneau (J. Cyboran).

P. 103 Geneviève Charbonneau.
Mannequin: Nicolette (Elmer Olsen Models).

P. 104 Maude Chauvin (C. Brown), Geneviève Charbonneau (mannequin).
Mannequin: Leanne Proctor (Elmer Olsen Models).

P. 106 Imaxtree (E. Nalin), Maude Chauvin (C. Laframboise).

P. 107 WireImage (O. Palermo, C. Roitfeld).

P. 108 Geneviève Charbonneau (M. Mayrand, mannequin).
Mannequin: Devon (Plutino Group).

P. 109 WireImage (J. Aniston, C. Mulligan).

P. 110 Maude Chauvin (C. Brown).

P. 112 Geneviève Charbonneau.
Mannequins: Amanda Nimmo (Montage), Krystal Reeve (Next).

P. 113 Geneviève Charbonneau.
Mannequin: Amanda Nimmo (Montage).

P. 114 Geneviève Charbonneau.
Mannequin: Krystal Reeve (Next).

P. 115 Geneviève Charbonneau.
Mannequin: Amanda Nimmo (Montage).

P. 117 WireImage (N. Richie).

P. 119 WireImage (D. Kruger).

P. 121 Getty Images (B. Thorne).

CHAPITRE 5

P. 124 Maude Chauvin (C. Laframboise).

P. 125 Geneviève Charbonneau.
Mannequin: Brenda (Next).

P. 126 Geneviève Charbonneau.
Mannequin: Nicolette (Elmer Olsen Models).

P. 127 WireImage (K. Holmes).

P. 128 WireImage (O. Kurylenko).

P. 129 WireImage (V. Hudgens).

P. 132 Geneviève Charbonneau.
Mannequin: Amanda Nimmo (Montage).

P. 133 Getty Images (Z. Saldana).

P. 134 FilmMagic (H. Panettiere).

P. 135 FilmMagic (O. Palermo).

P. 138 Geneviève Charbonneau.
Mannequin: Frances (Elite Model Management).

P. 139 FilmMagic (D. Kruger),
WireImage (R. Huntington-Whiteley, J. Lawrence).

P. 140 WireImage (J. King).

P. 141 Getty Images (B. Lively).

EN CONCLUSION

P. 150 Geneviève Charbonneau (J. Cyboran),
FilmMagic (J. Restoin Roitfeld),
Getty Images (K. Bosworth),
WireImage (E. Wasson).

P. 151 Maude Chauvin (C. Laframboise),
Getty Images (C. Casiraghi),
WireImage (J. Lyons, G. Paltrow).

P. 152 Geneviève Charbonneau (M. Mayrand),
FilmMagic (M. Bellucci),
Getty Images for HBO (C. Cerf de Dudzeele),
WireImage (C. Roitfeld).

P. 153 Maude Chauvin (C. Brown),
FilmMagic (S. Knowles, A. Madekwe),
Getty Images for Audi (L. Roe).

P. 154 Maude Chauvin (R. Granger),
Gamma-Rapho via Getty Images (B. Bardot),
Getty Images (F. Hardy),
Getty Images for Gucci (M. Duma).

D1294648